L'ATTRAPE-MAMAN

Castor Poche
Collection animée par
François Faucher, Hélène Wadowski,
Martine Lang, Cécile Fourquier et Céline Vial

Titre original :

THE MUM TRAP

Publié par Andersen Press Ltd (London)

Une production de l'Atelier du Père Castor

RUTH SYMES

L'ATTRAPE-MAMAN

*Traduit de l'anglais
par Myriam Borel*

Castor Poche Flammarion

Chapitre 1

C'est en regardant «Polly et ses amis» à la télévision qu'on a eu, Gem et moi, l'idée de poser un piège à maman.

«Polly et ses amis», c'est une émission de débats, un peu comme «Ça se discute». On la regarde tout le temps, ma sœur et moi. Papa, lui, ne l'aime pas trop. De toute façon, à cette heure-là, il prépare généralement le dîner.

Cette semaine-là, le thème de la discussion, c'étaient les petites annonces matrimoniales. Polly avait invité un tas de gens qui s'étaient rencontrés grâce à ça.

— Anna, regarde, celui-là, ça pourrait être papa, a dit Gem.

On était assises toutes les deux dans le canapé, et on écoutait parler les invités. Un homme, veuf, comme papa, racontait par exemple qu'il avait fait paraître une annonce dans un journal local : il avait reçu tellement de réponses favorables qu'il ne savait plus quoi en faire.

On s'est exclamées toutes les deux :

— Le voilà, son cadeau d'anniversaire !

On voulait offrir à Papa quelque chose de spécial, sans savoir précisément quoi. Maintenant, on savait : on allait lui trouver une nouvelle femme. Notre nouvelle maman.

— Le dîner est presque prêt ! a crié Papa du fond de la cuisine.

L'odeur des frites s'est glissée dans le salon.

— On arrive !

Je me suis levée et j'ai voulu aider ma sœur à se redresser. Elle m'a repoussée d'un geste de la main et s'est hissée dans son fauteuil roulant. Gem est handicapée et elle a horreur de la pitié. Elle est très fière de pouvoir se débrouiller seule. Avec son fauteuil électrique, en effet, elle peut se rendre à l'école sans nous. Mais il ne faut surtout pas oublier de recharger chaque soir la batterie, si on veut qu'il fonctionne bien le lendemain !

Par chance, papa n'avait pas vu l'émission. Il ne pouvait donc pas savoir ce qu'on avait en tête.

J'étais persuadée qu'il serait content, quand il recevrait les premières réponses à son annonce. Enfin, plutôt notre annonce. Surtout si l'une d'elles était envoyée par quelqu'un de bien. Tandis que si on lui suggérait cette idée, à mon avis, il s'y opposerait catégoriquement.

Il fallait donc qu'on s'en occupe.

— Alors, elle était bien, Polly, ce soir? a demandé Papa, en croquant un bâtonnet de poisson.

— Ouais, super!

Après le repas, Gem et moi avons rangé la cuisine. J'ai fait la vaisselle et Gem a essuyé, comme d'habitude.

— Regarde ça!

Papa avait épluché les pommes de terre, pour les frites, sur la page des annonces matrimoniales du journal local, *La Tribune de Medlock*.

— Fais voir!

J'ai jeté les épluchures à la poubelle et on a parcouru les annonces, à travers les taches laissées par les patates.

— Ça va, vous deux? a demandé Papa depuis le salon.

— Ça va!

— Je vais prendre une douche.

— D'accord.

On a repris notre lecture et Gem a attiré mon attention sur l'une des annonces :

« Homme de quarante ans, laid, deux fois brisé par l'amour, cherche dame pour partager les petits et les grands plaisirs de la vie. »

— Au moins, il est honnête ; ça ne doit pas être le cas de tout le monde !

— Celle-ci, on dirait qu'elle a été écrite par M. Jenkins, mon prof de musique, a dit Gem en montrant une autre annonce : « Mélomane, 36 ans, grand amateur de Mozart, cherche sa Reine de la Nuit. »

— Au fait...

— Quoi ?

— Medlock n'est pas une très grande ville... Tu imagines qu'un de nos profs réponde à l'annonce ?

— Ça ne me dérangerait pas, moi, a dit Gem. Sauf si c'était Mme Bannister : quelle horreur !

— C'est vrai, tu as raison.

Mais j'espérais bien qu'aucune de mes profs ne répondrait à l'annonce. Je mourrais de honte si quelqu'un de ma classe l'apprenait. Et si Papa tombait vraiment amoureux d'une prof ? Et s'il l'embrassait ? Rien que d'y penser, j'en avais des frissons.

— Hé, regarde, celle-là, elle irait bien

avec mon prof de musique, dit Gem: «Pianiste, 40 ans, s. renc. un homme séduisant avec de l'oreille.»

— Ça veut dire quoi, s. renc.?

— Souhaite rencontrer.

J'ai jeté un coup d'œil aux autres annonces.

— J'aime bien celle-là: «Crapaud, 50 ans, cherche Princesse pour l'aider à devenir Prince.»

Gem rit.

— Pas mal!

— Il y en a une autre dans le même genre, écoute!

Je l'ai lue à voix haute:

— «Lady Marianne s. renc. honnête Robin pour de grandes promenades dans les bois.»

— Et si on mettait «Les trois ours cherchent Boucle d'Or» dans notre annonce?

J'ai ri.

— Ou bien «Les trois petits cochons cherchent celle qui bâtira leur foyer»?

— Oui, ou encore «Superbe héros et ses deux filles angéliques s. renc. leur Princesse charmante», a dit Gem, en rejetant ses cheveux en arrière.

— Ah non! C'est trop mièvre...

— Il va falloir mentionner l'âge de Papa; tout le monde le fait!

— Qu'est-ce que tu dirais de «Veuf, 40 ans, séduisant, sympa, et ses deux filles, 10 et 13 ans, s. renc. quelqu'un de bien»?

— D'accord!

J'ai pris un stylo et j'ai rempli, en bas de la page, les petites cases destinées à ceux qui veulent faire paraître une annonce.

— Ça coûte combien? a demandé Gem.

— Cent francs.

On a mis chacune la moitié de la somme.

— Bon, ai-je dit après avoir rédigé l'adresse et affranchi l'enveloppe, tu es sûre que c'est une bonne idée?

— Oui! C'est bien pour lui, et aussi pour nous. Je veux une nouvelle maman.

J'ai acquiescé. Papa avait besoin d'une nouvelle femme dans sa vie, et nous aussi.

Mon idéal, comme nouvelle maman, serait quelqu'un capable de me faire une natte africaine, comme celle de Jenny Carter, qui est avec moi, à l'école – elle a tellement de classe! À défaut, j'aimerais qu'elle réponde à toutes mes interrogations sur les garçons: moi, je n'y comprends carrément rien! Ou alors, que ma nouvelle maman m'écoute vraiment – Papa, lui, est toujours distrait. Même quand j'essaie de lui dire quelque chose de très important. J'ai voulu lui parler, par exemple, le soir où les trois garçons de Beechwood Academy m'ont suivie jusqu'à la maison, après l'école, en me traitant de tous les noms. La trouille que j'ai eue, quand ils ont juré de me tuer!

Rien qu'en racontant cette scène à Papa, j'étais de nouveau terrorisée, comme si les garçons de Beechwood étaient dans la pièce et qu'ils entendaient tout ce que je disais. Pendant mon récit, Papa n'avait pas dit un mot. J'ai levé les yeux, et j'ai vite compris : il s'était endormi!

Évidemment, le mieux serait d'avoir une nouvelle maman qui m'écouterait, me ferait des nattes africaines et qui saurait tout sur les garçons. Mais à choisir, le plus important pour moi serait d'avoir quelqu'un à qui parler. Quelqu'un qui aurait du temps à me consacrer, qui comprendrait mes problèmes et qui saurait me conseiller.

Je fixais du regard l'enveloppe que j'avais dans la main. C'était peut-être la chance de notre vie.

— Bon, il faut aller la poster!
— D'accord!
— À tout de suite, Papa!
— Où allez-vous?
— On en a pour une minute!

On a descendu la rue jusqu'à la boîte aux lettres.

— C'est un peu comme si on posait un piège à maman, a dit Gem ; et l'appât, ce serait Papa…

— Oui, ou encore, c'est comme si on allait pêcher une maman, avec un journal comme filet ! J'espère qu'on va attraper quelqu'un de bien !

— Je me demande combien de réponses il va avoir, Papa.

— Hmmm… Ce que je ne sais pas, c'est si, après, il répondra ! Je l'espère. Mais il va peut-être falloir le pousser un peu. Alors, Gem, tu es prête pour l'aventure ?

— À cent pour cent !

J'ai posté l'enveloppe dans la boîte aux lettres. Maintenant, il fallait prier pour tomber sur quelqu'un avec des doigts assez agiles pour me faire des nattes africaines, des oreilles attentives, et une langue suffisamment déliée pour me dire tout ce que je devais savoir sur les garçons. Je me suis mise à imaginer une femme avec de grandes oreilles, une langue énorme et une vingtaine de doigts : la pauvre, c'était pas très attirant !

Notre annonce est parue hier dans *La Tribune de Medlock*. Le journal est arrivé avec le courrier, sur le paillasson ; je l'ai ramassé avant que Papa ne le voie et je l'ai caché dans ma chambre.

Ce matin, on a découpé notre annonce et on l'a glissée dans la carte d'anniversaire de Papa. Puis, Gem et moi, nous lui avons préparé un petit déjeuner de fête : œuf mollet et pain grillé.

— Il ne faut pas laisser bouillir l'œuf trop longtemps !

— Je sais.

J'ai laissé l'œuf cuire pendant sept minutes, avant de l'attraper avec une cuillère ; puis je l'ai posé dans un coquetier, et j'ai découpé le chapeau. J'ai placé ensuite une bougie d'anniversaire dans le jaune moelleux de l'œuf et je l'ai disposé sur le plateau, avec le reste du petit déjeuner, sur les genoux de Gem.

Gem a appuyé sur le bouton de son fauteuil et utilisé la manette pour se diriger dans le couloir. Elle s'est arrêtée devant la chambre de Papa. J'ai allumé la bougie et ouvert la porte. On a crié :

— Joyeux anniversaire, Papa !

Gem lui a tendu son plateau d'anniversaire.

— Merci !

— Fais un vœu, Papa !

Il a fermé les yeux pour formuler son vœu. Puis il a soufflé sa bougie.

J'ai fait un clin d'œil à Gem et nous lui avons donné sa carte. Lorsqu'il l'a prise, j'ai eu un moment de panique. Et s'il n'appréciait pas notre cadeau? Et si cela le rendait furieux, au lieu de lui faire plaisir? J'ai croisé les doigts pendant qu'il déchirait l'enveloppe.

L'annonce est tombée en se détachant de la carte. Papa l'a ramassée et l'a lue.

Il n'a pas eu l'air fâché. Il semblait perplexe.

— Je ne comprends pas. C'est une blague?

J'ai fait «non» de la tête. Je sentais mon estomac se tordre. Ça ne marcherait pas: Papa n'avait pas l'air content.

— Mais qu'est-ce que…

— On a passé l'annonce pour toi, a dit Gem. C'est notre cadeau d'anniversaire à toutes les deux.

Papa ne souriait pas du tout. Les sourcils froncés, il nous regardait fixement.

— Je ne sais pas si…

— Mais ça va être rigolo, Papa! Tu vas sûrement rencontrer quelqu'un de bien!

Papa laissa tomber l'annonce et secoua la tête.

— Je m'amuse très bien avec vous deux, et je n'ai besoin de personne, merci !

— S'il te plaît, Papa, a dit Gem d'un ton désespéré. Tu n'as jamais l'occasion de sortir !

— Et tu passes tout ton temps avec nous !

— C'est ce que sont censés faire les pères, normalement.

— Attends au moins de voir quelles réponses tu vas recevoir ! S'il te plaît...

— Non, cela ne me plaît pas. Vous auriez dû m'en parler d'abord.

Je l'ai supplié :

— Essaie, au moins. Tu n'es pas obligé de répondre aux lettres que le journal va transmettre, si tu ne veux pas.

— Bon... écoutez... je ne sais pas... Vraiment, ce n'est pas...

— Tout ce que tu auras à faire, c'est lire les réponses quand elles arriveront, ai-je insisté. Ce serait malpoli de ne pas le faire, puisque ces gens se seront donné la peine de t'écrire !

Papa a poussé un profond soupir.

— Je ne leur ai jamais demandé de m'écrire !

— On croyait que ça te ferait plaisir...

— Et on voulait une nouvelle maman ! a dit Gem.

Papa a eu l'air choqué. Il a regardé Gem pendant quelques secondes, puis il s'est tourné vers moi.

— Toi aussi, tu veux une nouvelle maman ?

J'ai acquiescé.

— Oui, Papa.

Il a baissé les yeux pour lire une nouvelle fois l'annonce.

— Je ne sais pas... la perspective de sortir avec une personne que je ne connais pas est loin de m'emballer ! ... Ça ne me paraît pas très naturel.

— Attends seulement de voir qui te répond avant de décider de ne pas y aller !

— Allez, Papa ! a dit Gem. Mais il faudra leur dire, à ces femmes, que tu as deux filles.

— Elles le sauront bien assez tôt ! Vous viendrez avec moi à chacun des rendez-vous... si j'y vais !

— Mais...

Difficile pour Papa d'avoir l'air romantique avec Gem et moi à ses côtés. Comment pourrait-il sérieusement faire la cour à quelqu'un, si nous restons près de lui, à le regarder ?

Là, j'ai réalisé que c'était précisément la raison pour laquelle il voulait qu'on l'accompagne.

— C'est ça, ou toutes les réponses iront à la poubelle avant même que je les lise ! a dit Papa.

— Alors Gem et moi, on va être tes gardes du corps!

Papa s'est mis à rire.

— D'accord, et j'aurai bien besoin d'une protection, si je fais ce truc de cinglés. Je me demande où vous êtes allées pêcher cette idée stupide.

Nous nous sommes bien gardées de lui dire que ça venait de l'émission de Polly.

— Ça ne me dérangerait pas de venir avec toi aux rendez-vous, a ajouté Gem. Ça me plairait de voir avec qui tu sors... Oh! T'imagines, la classe, si c'était une riche?!

Ça n'a pas fait rire Papa.

— Il y a des choses plus importantes que l'argent, dans la vie!

Gem lui jeta un regard incrédule.

— Tais-toi, Gem!

Je ne voulais pas qu'à cause d'elle Papa change d'avis, maintenant qu'on l'avait presque convaincu. Souvent, Gem fait des gaffes, sans vraiment penser à mal. C'était encore une gamine quand Maman est morte. Elle ne s'en souvient pas très bien. Moi, je me rappelle une femme souriante, toujours prête à faire un câlin. Le soir, avant d'éteindre la lumière, elle racontait des histoires fabuleuses. Et quand je tombais, elle embrassait mon genou écorché, pour me donner du courage. Ça fait bientôt huit ans, maintenant, qu'elle n'est plus là. Si on pouvait avoir la chance de rencontrer une autre femme, aussi gentille que notre maman, je serais heureuse. Enfin... à condition qu'elle sache faire des nattes africaines...

— Et toi, Anna, que penses-tu de tout ça ? m'a demandé Papa.

— J'aimerais bien qu'on essaie, papa.

— Vraiment ?

— Vraiment !

Papa a soupiré et relu l'annonce.

— Je vois que vous avez mentionné mon âge.

— Tout le monde le fait, tu sais !

— Et vous avez écrit que j'étais sympa et séduisant ?

— Oui, parce que c'est vrai !

— Hmmm..., a-t-il fait, sans conviction. (Il a tapoté sa petite bedaine.) Au moins, vous n'avez pas mentionné mon poids. (Et il a touché le sommet de son crâne.) Et vous n'avez pas dit, non plus, que ça se dégarnissait, là-haut ! Elles ne vont pas être déçues, les pauvres femmes, quand elles me verront... enfin, s'il y a des réponses, et si nous décidons de les rencontrer !

— Tu n'es pas si mal, Papa...

— Je ne suis pas non plus Tom Cruise !

— Peut-être que tu vas rencontrer une millionnaire! a dit Gem, tout excitée. Alors, je pourrais m'acheter un jeu vidéo de motos, un lecteur de CD, un ordinateur, un saxophone et...

— Gem! a repris Papa d'une voix ferme. Quelqu'un de gentil, qui nous apprécierait, ce serait déjà plus que suffisant!

— Bien sûr, Papa, mais si, par hasard, elle était riche, je ne dirais pas non!

Papa soupira:

— Je ne sais pas d'où tu tiens cette fascination pour l'argent.

— Donc, ça veut dire que tu vas lire les réponses, Papa, et téléphoner si elles ont l'air bien?

— Je ne sais pas.

— Mais tu vas les lire, au moins?

— On verra...

— Alleeez, Papaaa..., a dit Gem.

— Et si ça ne tournait pas rond?

— Comment ça?

— Eh bien, on pourrait tomber sur une folle... ou quelqu'un de dangereux... ou même, les deux!

Chapitre 2

— Debout là-dedans ! criait Gem depuis la cuisine, le lundi matin suivant. Aujourd'hui, on va peut-être recevoir des réponses à l'annonce de Papa !

— Ce n'est pas MON annonce, a répondu Papa. Je vous rappelle que c'est votre initiative !

J'ai refermé les yeux et enfoncé la tête sous l'oreiller, dans l'espoir de me rendormir. Ce n'était pas facile.

— Anna ! Le petit déjeuner est prêt !

— Je n'en prends pas ! ai-je grogné dans l'oreiller.

Mais mon estomac n'était pas d'accord. Il gargouillait déjà, le traître !

La veille, j'avais décidé de faire de l'exercice avant le petit déjeuner, suivant les conseils du dernier numéro de *Girls*. Mais ce matin, mon corps refusait de bouger. Il faisait bien assez d'exercice à son goût, pendant les cours d'EPS. Si en plus je commençais à en faire à la maison, il se mettrait probablement en grève.

L'odeur du bacon qui grésille est venue se glisser dans ma chambre : comment résister ? J'ai vite pris une douche, enfilé l'uniforme de mon école et je me suis précipitée à la cuisine. Si Papa a le don de préparer des plats bizarroïdes, par contre, il est le roi du petit déjeuner !

— Bonjour, belle endormie, a dit Papa en me tendant son «assiette du chef» : bacon, tomates et champignons frits.

J'ai pris place à table et j'ai attaqué le bacon, avec un peu de remords… Rien à voir avec le bol de céréales et le grand verre de jus de fruits frais que suggère *Girls*. Mais si tôt le matin, suivre un régime, c'est trop dur ! De toute façon, l'article recommande aussi de longs sommeils réparateurs : Papa ne va certainement pas me laisser manquer l'école et rester au lit toute la matinée, seulement parce que mon magazine le préconise !

Il se fâche même un petit peu, parfois,

quand je lui cite des passages. Selon lui, acheter *Girls*, c'est du gâchis. Il ne comprend pas que j'en aie besoin. Mais où pourrais-je trouver, sinon, toutes ces informations vitales?

J'étais en train de presser du ketchup sur le bord de mon assiette quand on a sonné à la porte.

— Ça doit être ma copine Tina qui vient me chercher, il faut que j'y aille. Salut, poilus!

— Pourquoi pars-tu si tôt pour l'école? a demandé Papa.

— Des trucs à faire, a dit Gem, mystérieusement.

— Pas de bêtises, hein?

— Des bêtises, moi? Tu sais bien que je n'en fais jamais!

— Ah, vraiment?

— Bon, presque jamais, alors…

Papa avait failli s'étouffer lorsque Gem était rentrée avec les cheveux verts, il y a quelques semaines. Il s'était tout juste calmé quand elle lui avait dit que ça partirait au premier shampoing.

— À plus, a dit Gem en riant. Salut, Anna!

J'ai répondu, la bouche pleine, quelque chose qui s'approchait d'un «salut!».

Gem a pressé un bouton de son fauteuil et

a roulé dans le couloir. Je l'ai entendue saluer Tina puis la porte d'entrée s'est refermée.

Quelques secondes plus tard, on a sonné de nouveau. Gem avait dû oublier un truc. J'ai posé mes couverts et je me suis levée. Ça sonnait toujours. Puis on a frappé. Enfin, on aurait plutôt dit que quelqu'un donnait des coups de pied dans la porte.

Gem n'aurait pas pu faire ça – même si elle l'avait voulu. Et de toute façon, elle était sortie par la porte de derrière. Alors, qui était-ce?

Papa a regardé par la fenêtre.

— Oh non!

— Au secours! Au secours! Laissez-moi entrer! a crié une voix de femme.

J'ai couru jusqu'à la porte d'entrée et je l'ai ouverte en hâte. Une femme, en costume de facteur, aux cheveux noirs – très très courts – et avec des boucles d'oreilles en tête de mort, s'est précipitée dans le couloir.

— Ferme! Ferme! a-t-elle hurlé en montrant la porte.

— Hein?

Elle a claqué la porte et s'est effondrée sur la petite table du couloir.

Quelques secondes plus tard, j'ai entendu ce qui semblait être un chien, ou peut-être même un loup – quoique j'en aie seulement entendu à la télé, et que je ne sache pas exactement quel bruit ils font en vrai – qui se mettait à hurler derrière la porte.

J'ai jeté un coup d'œil à la factrice. Par quelle espèce de monstre était-elle poursuivie?

— Heureusement que tu as ouvert la porte, a-t-elle haleté. Juste à temps! Une seconde de plus, et j'étais transformée en viande hachée! Je voulais simplement livrer une lettre, à cette maison au coin de la rue – et voilà que ce mastodonte s'est précipité sur moi, comme si j'étais l'ennemi public numéro un!

Papa s'est pointé dans le couloir. Il avait l'air de lutter pour ne pas rire. J'ai trouvé ça très malpoli de sa part. Il n'y avait vraiment rien de drôle! La factrice aurait pu être gravement blessée. Maintenant, l'espèce de chien-loup s'était arrêté de hurler, mais je n'osais pas imaginer ce qui aurait pu arriver si je n'avais pas ouvert la porte.

Le sourire de Papa, et ses efforts pour ne pas rire n'étaient pas très convaincants. La factrice le regardait de travers. Elle a ouvert la bouche pour dire quelque chose… mais la sonnette a de nouveau retenti. J'ai sursauté ; la factrice a crié.

Papa a tendu la main pour ouvrir la porte.

— Non ! avons-nous toutes les deux supplié.

Mais c'était trop tard.

— Vous avez déjà vu un chien sonner à la porte ? a dit Papa la main sur la poignée.

Dehors se tenait le vieux monsieur Yves. On raconte qu'il a cent ans ; en tout cas, il en a tout l'air. Tous les gamins le surnomment Yves la Gencive parce qu'il perd toujours son dentier, et qu'il ne lui reste que ses gencives roses et brillantes pour mâcher.

Un jour, quelqu'un a retrouvé son dentier sous un fauteuil, à la bibliothèque ; une autre fois, il l'avait fait tomber au fond de la piscine du quartier.

Il a de nouveau perdu son dentier il y a quelques semaines et, depuis, il ne l'a pas remplacé. À tous ceux qui lui suggèrent d'en acheter un autre il dit : «Oh, il ne doit pas être bien loin !» Mais jusqu'à présent, personne ne l'a retrouvé.

— Bonjour, monsieur Yves, ai-je dit, bien protégée derrière le dos de Papa.

Je ne pouvais détacher mon regard de l'énorme chien qu'il tenait par le collier.

— Excusez Rambo, a dit monsieur Yves en faisant un petit signe de tête à la factrice, qui restait debout derrière moi, bien en retrait. Il s'est un petit peu emporté!

— Un petit peu? glapit la factrice. J'ai cru qu'il allait me déchiqueter!

— Ça, mon petit, ça m'étonnerait bien… Ce n'est pas possible!

— Il a quand même essayé, ai-je dit. La pauvre heu…

Et j'ai regardé la factrice: comment l'appeler, au fait?

— … Kate! a-t-elle ajouté.

— Kate était à moitié morte de peur! ai-je insisté.

Papa a éclaté de rire.

Kate a lancé un regard franchement méchant à Papa: si elle avait pu le transformer en grenouille, à cet instant, elle l'aurait fait.

— Tais-toi, Papa!

J'étais morte de honte: comment osait-il se moquer ainsi du malheur des gens? Ça n'était pourtant pas dans ses habitudes.

Papa s'est concentré pour s'arrêter de rire, mais sans grand succès. Heureusement monsieur Yves a enchaîné:

— Je veux bien que Rambo l'ait effrayée;

mais lui faire du mal, ça, non! Il en est bien incapable!

J'ai observé Rambo. C'est vrai que comme ça, gentiment assis aux pieds de monsieur Yves... Mais alors, que penser des hurlements de loup féroce que j'avais entendus quelques secondes plus tôt?

— Il fait juste semblant, continua monsieur Yves en regardant tendrement son chien. Même s'il vous avait attrapée, euh... Kate, tout ce qu'il aurait pu faire, c'est vous lécher... Et je n'ai jamais entendu parler de coups de langue qui tuent!

— Mais...

— Pas de dents, mon petit, comme moi! dit monsieur Yves en ouvrant la gueule de son chien pour nous montrer ses gencives. C'est pour ça que je l'ai ramené du refuge, hier! Ils allaient le faire piquer, vous vous rendez compte! Alors je l'ai pris, parce qu'il me ressemble. (Puis il a gloussé et fait un petit clin d'œil à Kate.) D'ailleurs, moi aussi, je vous aurais bien couru après, si j'avais eu assez de souffle! Mais ce n'est plus de mon âge... J'aime mieux laisser la place aux jeunes!

Il a lancé un clin d'œil à Papa.

— À choisir, je crois que je préfère être poursuivie par votre chien, a dit Kate en fusillant Papa du regard.

Rambo, langue pendante, haletait. C'est vrai qu'il n'avait plus l'air si menaçant, maintenant.

Kate s'est même baissée pour le caresser.

— Tu ne peux pas mordre, mais tu sais bien aboyer ! En tout cas, je suis très contente de savoir qu'il n'y a plus de raison d'avoir peur, et qu'on peut devenir copains.

Rambo a léché le nez de Kate.

— Et toi, Papa, ai-je demandé, tu savais déjà que Rambo n'avait pas de dents ?

— Oui, j'ai rencontré monsieur Yves, hier soir, il se promenait avec lui.

Je suis allée caresser Rambo à mon tour.

— Bon, mon vieux, on ferait mieux d'y aller, a lancé Yves la Gencive à son compagnon. On a eu assez d'émotion pour ce matin !

Et, tranquillement, le chien en tête, ils ont pris tous deux le chemin de la maison.

— Accepteriez-vous une tasse de thé ? a demandé Papa à Kate.

Grossière erreur ! Kate, encore furieuse après lui, n'allait pas lui pardonner si facilement de s'être moqué de sa panique.

— Non, merci, sans façon ! Je vous ai bien assez vu comme ça ! (Elle a plongé la main dans sa sacoche et en a ressorti une enveloppe en papier kraft.) Votre courrier, a-t-elle dit en posant sèchement l'enveloppe sur la petite table du couloir.

— Écoutez, je suis vraiment…, a commencé Papa d'un ton sérieux.

Mais son visage s'est contracté et le fou rire l'a repris.

Je comprenais que Kate lui en veuille.

— Ce n'est vraiment pas gentil, Papa.

— Dé-désolé, a-t-il haleté en se tenant les côtes, mais c'était vraiment très drôle !

— Au revoir, a dit Kate, d'une voix glaciale.

Elle est sortie en fulminant et s'est engagée dans l'allée.

— Tu vois, Papa !

Qu'est-ce qui lui avait pris ? Son sens de l'humour était vraiment tordu.

J'ai empoigné mon cartable et couru après Kate. Il fallait que je m'excuse pour le comportement de Papa.

— Attendez ! lui ai-je crié. (Elle ne s'est pas arrêtée, mais je l'ai rattrapée quand même.) Je suis désolée. D'habitude il n'est pas comme ça.

— Mmouais…

— Vous retournez au bureau de poste ?

— Oui.

— Ah, chouette ! C'est sur le chemin de l'école. Je peux vous accompagner ?

Kate n'a rien répondu. Mais je voyais que sa colère retombait à mesure qu'on avançait, parce que je n'étais plus obligée de courir pour suivre son allure.

On a dépassé Yves la Gencive. Rambo a remué la queue.

— Ça fait longtemps que vous êtes factrice ? ai-je demandé à Kate.

— Non, c'est mon premier jour.

— Vous pensez que ça va vous plaire ?

Kate a haussé les épaules.

— Dans la famille, on aime les uniformes. Ma sœur est chez les pompiers, et mon frère est policier. (Elle a touché les têtes de mort qu'elle portait aux oreilles.) C'est mon frère qui m'a donné ces boucles d'oreilles. Je les ai mises aujourd'hui comme porte-bonheur. (Elle a souri avant d'ajouter :) Peut-être qu'elles m'ont effectivement porté chance après tout : au moins, Rambo n'avait pas de dents !

— Oui, ça, c'était de la chance ! ai-je acquiescé.

— Ta maman devrait apprendre à ton papa que ce n'est pas très poli de se moquer de la peur des autres.

— Ma mère est morte quand j'avais cinq ans. Ma sœur Gem, elle avait deux ans.

Je lui ai dit aussi que pendant des années, après, j'en avais fait des cauchemars. Ça s'était passé lors d'une journée ensoleillée. Papa nous conduisait à la plage. J'étais assise à l'arrière, et Gem était sur les genoux de Maman, à l'avant.

La voiture qui nous avait percutés roulait si vite qu'elle n'avait pas eu le temps de s'arrêter. Elle avait foncé dans la porte du passager. Là où se trouvaient Maman et Gem.

C'est bizarre, d'habitude je n'aime pas parler de l'accident, et voilà que je le racontais à cette jeune femme que je ne connaissais que depuis une heure.

Pendant quelques instants, on a marché en silence. Enfin Kate a demandé :

— Est-ce que ton père a rencontré quelqu'un depuis… ?

J'ai secoué la tête, puis je me suis mise à raconter à Kate que nous avions passé une petite annonce dans le journal comme cadeau d'anniversaire pour Papa.

— C'est une idée géniale ! a dit Kate. (Et elle a ajouté :) Tu sais, vous avez peut-être reçu des réponses aujourd'hui. L'enveloppe que j'ai posée sur la table venait de *La Tribune de Medlock*.

— C'est vrai?

On est arrivées à mon école.

— Au revoir!

— Bonne chance pour l'annonce! a dit Kate. Je croiserai les doigts pour que vous trouviez quelqu'un de vraiment bien. Mais ne laisse pas ton père se moquer d'elles si elles font une gaffe: si elles ont un bout d'épinard coincé entre les dents, ou quelque chose dans le genre. Les femmes n'aiment pas qu'on se paie leur tête, surtout le premier jour!

— D'accord!

C'était dur de se concentrer, à l'école. Je ne pensais à rien d'autre qu'à l'enveloppe sur la table du couloir. Sinon bien sûr à Léo, un garçon de ma classe à qui je pense tout le temps. Peut-être qu'une des réponses provenait de celle qui allait devenir ma nouvelle maman. Une nouvelle maman qui saurait me faire des nattes africaines, qui me dirait tout ce qu'elle sait sur les garçons, et qui m'écouterait quand j'aurais besoin de parler.

Chapitre 3

— Cette année, le bal de fin d'année tombera le vendredi 17, a dit Mme Trent, et j'ai tout de suite cessé de penser à notre petite annonce, pour rêver à cette soirée.

C'est une fête organisée seulement pour les quatrièmes et les troisièmes : cette année, pour la première fois, je pourrai y aller.

Derrière moi, j'ai entendu Jenny Carter, celle qui a une natte africaine, dire à Sarah, à côté d'elle :

— J'y vais avec Sam. Et toi, tu y vas avec qui ?

— Willy, a murmuré Sarah.

Voilà ! La boum de fin d'année ! L'occasion rêvée – si j'en ai le courage – de demander à Léo s'il veut sortir avec moi.

Je me suis retournée pour le regarder. Il était assis au fond de la classe. Plongé, comme d'habitude, dans un journal d'informatique. Si je ne lui demandais pas de m'accompagner à cette boum, est-ce qu'il le ferait, lui?

Je connaissais déjà la réponse.

Alors, est-ce que j'aurais le courage, moi, d'aller le lui demander? Je sais que je n'oserais jamais. Attendez: j'en ai envie – gravement, même – mais c'est trop dur.

Et de toute façon, il dira probablement non. Non, il n'ira pas à cette boum, ou bien, non, le vendredi, il va chez sa grand-mère, ou, pire que tout, non, il ne veut pas y aller avec moi – parce qu'il y va déjà avec quelqu'un d'autre.

Et si je lui envoyais un mot? Ce serait déjà moins difficile. Ça, je pourrais le faire.

J'ai déchiré une page au milieu de mon cahier de maths et j'ai replié mon bras autour de la feuille, pour que personne ne puisse voir ce que j'écrivais. J'étais tellement nerveuse que mon écriture tremblait un peu.

«Cher Léo,

Voudrais-tu aller à la boum avec moi, parce que moi, j'aimerais bien y aller avec toi?»

J'ai ajouté mon nom et mon numéro de téléphone, en bas de la page.

Maintenant, que faire de ce mot? Le lui

donner, comme ça? Ou bien le lui glisser discrètement dans son cartable?

Si je le lui donnais directement, j'aurais tout de suite la réponse – mais avant, il faudrait que je m'assure que personne ne nous voie, ni ne nous entende. Et puis, ce serait trop horrible, s'il disait non.

Il valait mieux attendre le moment propice.

Ça a pris du temps. Pas une seule fois dans la matinée, je n'ai eu l'occasion de voir Léo seul. Pas même à la récréation : comme il va au club d'informatique, je n'ai pas pu le croiser.

J'ai essayé de lui sourire pendant le cours de musique en fin de matinée, mais il a eu l'air surpris et il m'a regardée en fronçant les sourcils.

C'est normal : il ne peut pas savoir quels sont mes sentiments pour lui – moi-même, je ne le sais que depuis une semaine. Mais il va bientôt comprendre !

Choisir Léo comme amoureux, je sais, c'est assez surprenant : mais chaque fois que je m'approche de lui, je me sens toute drôle dans le ventre. Mon magazine, *Girls*, dit que cette sensation bizarre est le meilleur moyen de reconnaître le Grand Amour.

Papa me dirait, lui, que c'est une indigestion. Mais je sais bien que non : Léo est l'Amour de ma vie ; simplement, il ne le sait pas encore.

Je n'ai pas arrêté de le fixer, à la cantine. Mais il s'est seulement retourné en croyant que je regardais quelqu'un derrière lui. Puis il a évité de croiser mon regard.

« Il est timide », me suis-je dit, et j'ai décidé qu'il fallait mieux glisser secrètement le mot dans son cartable, pour qu'il le trouve en rentrant chez lui.

J'en ai eu l'occasion un peu plus tard dans l'après-midi, en biologie. Mme Mark nous avait donné une expérience vraiment dégoûtante à réaliser : c'était pour voir combien de bactéries il y a dans la salive.

Pendant que Léo tendait son tube à essai plein de bave à Mme Mark, je me suis agenouillée près de son cartable et j'ai fait semblant de renouer les lacets de mes chaussures. Ç'a été très facile de glisser le mot dans l'une des poches de son sac, sans que personne ne le voie.

Cette mission accomplie, je suis retournée à ma place et j'ai continué à cracher dans mon tube à essai. Maintenant, je n'avais plus qu'à attendre la réponse de Léo.

Je n'ai pas cessé de le surveiller le reste

de l'après-midi, mais il n'a pas regardé dans la poche de son sac.

— Salut, Léo, ai-je dit, à la fin de la journée.

— Euh... salut ! a-t-il répondu, un rien effrayé.

J'espérais qu'il trouverait vite mon mot.

Je suis sortie précipitamment de l'école et j'ai couru sur le chemin du retour. Mais j'ai dû m'arrêter un peu avant la maison pour marcher, parce que j'avais attrapé un point de côté. J'étais impatiente de trouver le paquet de réponses à notre annonce et de les montrer à Papa et à Gem.

— Ah, enfin ! a soupiré Gem quand je suis arrivée en trombe par la porte de derrière.

Il y avait cinq enveloppes sur la table de la cuisine. L'enveloppe que le journal avait envoyée se trouvait sur le côté.

Je me suis assise sur la troisième chaise et j'ai souri à Papa et à Gem. Peut-être notre nouvelle maman se cachait-elle là, parmi toutes les lettres sur la table.

— Nous n'avons pas encore ouvert les réponses, a souligné Papa.

— J'ai dit à Papa que si j'ouvrais seulement une lettre, ça ne te dérangerait pas.

— Et moi, j'étais sûr que si! Alors, on t'a attendue.

— Mais maintenant, ce n'est plus la peine d'attendre! Est-ce que je peux ouvrir la première et la lire à voix haute?

Gem a regardé Papa, puis moi, et elle a ajouté:

— Je suis restée une éternité à contempler les enveloppes!

— Bon, d'accord! Vas-y!

Gem a pris une enveloppe bleue et l'a déchirée.

— Deux pages, a-t-elle dit en sortant les feuilles d'un papier couvert d'une écriture ronde et large.

— Nous sommes prêts!

En croisant les doigts, j'ai pensé: «S'il vous plaît, faites que ce soit elle!»

Gem a commencé à lire:

— Bonjour à vous, le veuf sympa et séduisant avec ses deux filles...

Papa a grogné:

— Je ne suis pas sympa ni séduisant! Tu parles d'une déception, si elle me rencontrait!

— Chut, Papa!

Gem a continué sa lecture:

«Je m'appelle Sue – Rodéo Sue. J'ai quarante ans et je mesure 1,65 mètres.

Je ne suis pas particulièrement jolie, mais je ne suis pas moche au point d'être obligée de porter un sac sur la tête quand je sors.

Est-ce que vos charmantes filles aiment le rodéo ?

Je possède un magnifique pur-sang nommé Tara. Il n'y a rien de meilleur qu'un galop, au petit matin, pour chasser la mélancolie, surtout quand vous venez de surprendre l'homme que vous croyiez aimer en train d'embrasser une autre femme.

Je travaille pour le parc d'attractions du Grand Ouest, à Leaston. J'ai glissé pour vous et vos filles, dans l'enveloppe, trois invitations à mon spectacle, samedi prochain. J'espère que vous pourrez y venir. Je vous y attendrai.

Sue

P-S : Pourquoi ne pas nous rencontrer au Café des Cow-boys, après le spectacle ? »

Elle a l'air géniale ! s'est exclamée Gem. Je suis impatiente de voir son cheval !

J'étais d'accord ; mais avant de voir son cheval, c'était d'abord Rodéo Sue que je voulais rencontrer. J'étais sûre qu'elle savait faire des nattes africaines ; j'aurais même parié qu'elle savait tout sur les garçons, et qu'elle m'écouterait quand j'en aurais besoin. Elle avait l'air d'une mère idéale. Parfait !

— Je ne suis pas sûr..., a dit Papa.

Mon cœur s'est brisé.

— Pourquoi?

Il a ramassé la lettre de Rodéo Sue.

— Quand elle écrit, là, qu'elle a trouvé l'homme dont elle croyait être amoureuse en train d'embrasser une autre femme... elle ne semble pas prête à l'oublier à l'heure actuelle... ni même plus tard! Et aussi...

— Quoi?

— Je n'aime pas franchement les chevaux. Ils sont si gros, et ils ont de grandes mâchoires, comme pour mordre... Quand j'étais petit, je faisais des cauchemars à cause des chevaux...

Gem a ri.

— Allez, Papa! Il n'y a pas de quoi avoir peur. Les chevaux ne mangent pas les hommes! Ils sont herbivores!

— N'empêche, je ne les aime pas tellement.

— Bon! On peut faire une pile de «Oui», et une pile de «Peut-être»?

— D'accord; alors, on met la lettre de Rodéo Sue sur celle des Peut-être! a conclu Papa d'un air soulagé.

— Mais je veux aller au parc d'attractions et au spectacle de rodéo, ai-je dit. Il faut qu'on la voie. Ce serait grossier de ne pas y aller, maintenant qu'elle nous a envoyé des invitations.

— Oui, nous devons aller au Grand Ouest, a insisté Gem.

Papa a soupiré et retiré la lettre de Sue de la pile des Peut-être pour la poser sur celle des Oui.

— Mais promettez-moi qu'aucun cheval ne me mordra.

On a promis, bien qu'on n'y connaisse rien aux chevaux, Gem et moi. Aucune de nous deux n'en a jamais fait. Une fois, seulement, j'ai approché un cheval. Mais c'était par-dessus une barrière, pour lui tendre une poignée d'herbe.

— À ton tour, Papa.

— Laquelle choisir ? a-t-il demandé en observant les quatre autres lettres. Celle-ci, je crois !

Il a ouvert l'enveloppe la plus petite.

— Oh, regardez ! C'est joli !

Dans l'enveloppe, il y avait une minuscule petite carte avec un dessin qui représentait un pompier coincé dans une cheminée. Ce n'était pas le plus beau dessin du monde, mais l'expression du visage du pompier était vraiment très drôle.

— C'est comme la sœur de Kate, elle est pompier! ai-je dit.

— C'est qui, Kate? a demandé Gem.

— Notre nouvelle factrice. Elle s'est réfugiée chez nous ce matin, parce qu'elle était poursuivie par un énorme chien.

— Je ne suis jamais là quand il se passe quelque chose d'intéressant!

— L'énorme chien en question n'avait en fait pas plus de dent qu'un nourrisson! a rajouté Papa.

— J'ai eu honte de Papa quand il s'est payé sa tête.

— De qui? De la factrice ou du chien? a demandé Gem.

— De la factrice! Le chien, c'est un mâle. Il s'appelle Rambo. C'est Yves la Gencive qui l'a acheté au refuge, lui ai-je expliqué.

— Je ne voulais pas me moquer de cette pauvre factrice! Je ne sais pas ce qui m'a pris. Plus j'essayais de me retenir de rire, plus je riais. Impossible de m'arrêter!

— Je crois que Kate ne te le pardonnera jamais, ai-je dit en repensant à la colère que j'avais lue sur son visage.

Papa a changé de sujet.

— Voyons ce que nous écrit ce petit pompier!

Il a retourné la carte et lu à voix haute:

— «Cher veuf avec ses deux filles,

Je m'appelle Bibi. Mon signe astrologique est le lion, j'ai 33 ans et je n'ai jamais été mariée.

J'aime rire et m'amuser, mais je peux aussi être sérieuse.

Vous n'avez pas précisé votre travail, dans votre annonce. Alors j'ai imaginé que vous étiez pompier et j'ai dessiné cette carte pour vous.

Je serais très heureuse d'avoir de vos nouvelles. Mais si vous décidez de ne pas répondre, je vous souhaite néanmoins bonne chance et beaucoup de bonheur avec celle que vous choisirez de contacter.

Affectueusement,

Bibi

01 003 78 65 23.»

Elle va être déçue, quand elle apprendra que je ne suis pas pompier, mais simplement comptable! a dit Papa.

Il a replacé la petite carte dans son enveloppe. Puis il nous a interrogées du regard, l'une après l'autre.

— Dans la pile des Oui! avons-nous toutes les deux répondu.

— Je ne sais pas...

— Mais si! Celle des Oui! Allez!

— Bon, d'accord a soupiré Papa.

Elle avait l'air chouette, Bibi. L'air d'une mère idéale, tout comme Sue. Peut-être même mieux. Au moins, avec elle, Papa serait tranquille : il n'y avait pas de chevaux à craindre !

— À moi ! ai-je dit en ouvrant une enveloppe.

— « Cher veuf avec ses deux filles,

Vous devez vous sentir bien seul sans femme dans votre vie. Je peux emménager tout de suite.

Pourquoi ne pas m'appeler ?

Francine

01 003 927658. »

— Ouh là là !

— La pile des Non ! a tout de suite lancé Papa. Elle me fait peur !

— Tu crois qu'il y a beaucoup de dingues qui répondent aux annonces ? a demandé Gem.

— Je n'en sais rien. Les autres lettres avaient l'air normales…

— Il en reste deux, a dit Papa. À toi, Gem.

Gem a choisi une enveloppe mauve et l'a soigneusement décachetée.

— « Cher veuf avec ses deux filles,

Je m'appelle Janet et j'ai 39 ans. J'ai une fille, Olivia. Elle a 14 ans et elle est jolie comme un cœur. C'est le bijou le plus précieux de ma vie. Son père et moi sommes séparés.

Pourquoi ne pas aller tous ensemble manger une pizza, ou autre chose, afin de faire plus ample connaissance?

Janet,

01 003 876 090.»

— Elle a l'air bien, celle-là, a dit Papa. Normale et sympa.

— Bof... Je ne sais pas... Sa fille «jolie comme un cœur», son «bijou le plus précieux»... Je suis sûre qu'Olivia est superprétentieuse!

— Mais moi, j'aime bien les pizzas! a dit Gem.

— On la met sur la pile des Oui, a décidé Papa.

Janet ne me semblait pas être une mère idéale, comme Sue ou Bibi, mais Gem a posé sa lettre sur la pile des Oui.

— À toi la dernière, Anna, a proposé Papa.

J'ai pris la dernière enveloppe et je l'ai ouverte.

— «Cher veuf avec ses deux filles,

Je m'appelle Élaine et j'ai 37 ans. Je suis veuve depuis trois ans.

Comme vous pouvez l'imaginer, mon fils de

quatorze ans et moi-même avons traversé une période très difficile, mais je crois qu'il est temps pour moi de sortir à nouveau et de rencontrer d'autres personnes.

J'espère que vous allez me répondre.

Je serais si heureuse d'avoir quelqu'un à qui parler.

Élaine,

01 003 765587. »

— Il faut que je la contacte, a dit Papa. Même si ce n'est pas elle que nous choisissons. Elle a l'air d'avoir sérieusement besoin de parler à quelqu'un.

— Tu as raison !

J'ai posé la lettre d'Élaine sur la pile des Oui. L'idée d'avoir un demi-frère d'un an de plus que moi ne m'enchantait pas tellement. Ça pourrait être merveilleux, s'il était gentil. Mais, dans le cas contraire, ça pouvait aussi devenir un vrai cauchemar.

Mais Papa envisageait peut-être simplement de voir Élaine pour parler avec elle de la douleur de perdre un proche. À moins qu'il ne veuille aussi sortir avec elle ?

— Voilà, c'est fini pour aujourd'hui ! a soupiré Gem.

Dommage qu'on n'ait pas pris d'autres personnes dans notre attrape-maman. Mais on n'avait besoin que d'une seule maman, et parmi Sue, Bibi, Janet et Élaine, il y aurait bien celle qui deviendrait la nôtre. En tout cas, je l'espérais de tout cœur.

— Bon, les filles, vous devez être affamées ? a demandé Papa. Vous préférèz que je prépare le repas ou que j'appelle tout de suite les candidates de la pile des Oui ?

Nous étions bien trop excitées pour penser à manger.

— Appelle-les !

— Elle d'abord !

Je lui ai tendu la lettre de Rodéo Sue. Papa a pris l'enveloppe, l'a retournée puis a dit :

— Elle n'a laissé aucun numéro de téléphone !

— Elle a peut-être décidé de nous rencontrer seulement si on va au parc d'attractions !

— Mais de toute façon, on va y aller ? a demandé Gem.

— Bien sûr ! ai-je répondu avec entrain.

— Oui, oui, a ajouté Papa avec un enthousiasme beaucoup moins évident.

— Alors, appelle la suivante ! a dit Gem, en brandissant la carte de Bibi.

— D'accord ; je ferais mieux de téléphoner tout de suite, avant de me dégonfler ! Vous êtes vraiment sûres de vouloir faire ça ?

— Certaines !

Papa a pris le combiné et composé le

numéro. Je me suis approchée de lui pour pouvoir entendre la voix à l'autre bout du fil.

La sonnerie a retenti six fois avant qu'un répondeur ne se mette en marche. «Bonjour, je suis absente pour le moment. Laissez-moi un message ainsi que vos coordonnées et je vous rappellerai dès mon retour», a fait une voix de femme, un peu rauque, mais amicale.

Papa a raccroché.

— C'était le répondeur.

— Eh ben? Pourquoi tu n'as pas laissé de message?

— Oh, je réessaierai après le repas. Je préfère m'adresser à elle plutôt qu'à son répondeur.

Je lui ai donné la lettre de Janet. Il a composé son numéro. Ça a sonné trois fois.

— Allô? a demandé une voix de fille.

— Allô, bonjour, pourrais-je parler à Janet?

— Oui! Maman, c'est pour toi! a-t-on entendu hurler.

— Elle a plutôt du coffre, pour un bijou précieux! ai-je murmuré.

Papa s'est mordu la lèvre inférieure. Il avait l'air d'avoir un peu peur.

— Allô?

— Allô, bonsoir. Vous avez répondu à mon annonce dans *La Tribune de Medlock*. Je suis le veuf avec ses deux filles.

— Oh ! Bonsoir ! J'espérais que vous appelleriez, a dit Janet.

Sa voix était douce et chaleureuse au bout du fil. Papa et elle se sont parlé un moment, puis ils ont décidé que nous nous retrouverions tous les cinq au Palais des Pizzas le samedi suivant pour le repas de midi.

— Ma fille, Olivia, connaît peut-être l'une des vôtres. Où sont-elles inscrites ? a demandé Janet.

— Au lycée Saint-John et à l'école primaire Aylands, a répondu Papa.

— Quel dommage ! Olivia va à Beechwood Academy : c'est un établissement pour les élèves surdoués. Elle est très intelligente, vous savez !

J'ai eu le pressentiment qu'Olivia n'allait pas beaucoup me plaire.

— Vivement samedi ! J'adore les pizzas ! Je vais prendre la plus chè...

J'ai donné un coup de coude à Gem, pour la faire taire. Mais elle s'est reprise et elle a ajouté :

— Pas trop chère, ni trop grosse. D'ailleurs, je crois que je ne prendrai qu'une pizza tomate-fromage, toute simple !

Ensuite Papa a composé le numéro d'Élaine.

— Bonsoir, pourrais-je parler à Élaine...

Oui, vous avez répondu à mon annonce... D'accord, très bien !

J'ai tendu l'oreille. Élaine avait une toute petite voix, j'entendais à peine ce qu'elle disait.

— Vous préférez dimanche ? ai-je réussi à comprendre dans le murmure de sa voix. Vers onze heures ? Y a-t-il un endroit que vous et vos filles aimez particulièrement ?

Papa a lancé un coup d'œil à Gem.

— Où voudrais-tu aller ?

— Aux Mille Saveurs ! Aux Mille Saveurs ! a-t-elle répondu avec empressement.

— Bien, a repris Papa, vous connaissez ce café, Aux Mille Saveurs, où l'on peut manger des glaces ?

Élaine a accepté de nous retrouver là-bas. Gem a poussé un petit cri de triomphe.

— J'essaierai de convaincre mon fils de m'accompagner, mais j'ignore s'il viendra. Quoi qu'il en soit, je serai au rendez-vous. Avec ou sans lui !

— Très bien, a dit Papa. Alors, à dimanche !

Il a raccroché.

— Voilà ! Les dés sont jetés !

Il avait l'air plus inquiet qu'autre chose.

Chapitre 4

— Je n'ai rien à me mettre, se lamentait Gem à voix haute, le samedi matin suivant.

Je comprenais parfaitement ce qu'elle ressentait. Quand j'ai ouvert mon armoire, j'ai eu moi-même le sentiment que tous mes habits étaient démodés, trop petits ou qu'ils faisaient bébé.

— Ça, c'est moche... Cette robe, elle me boudine... Et dans ce pantalon, j'ai l'air trop tarte! murmurai-je en fouillant avec dégoût parmi les vêtements qui me plaisaient encore hier, et que je détestais aujourd'hui.

Jamais je ne ferai bonne impression sur Olivia ou Janet avec de pareils vêtements. J'étais sûre qu'Olivia était constamment à la pointe de la mode. Je ne l'avais jamais vue, bien sûr, mais j'imaginais que c'était le genre de fille à qui tout allait à merveille.

Rien à voir avec moi : si je mettais un sac à patates, j'aurais ni plus ni moins l'air d'un sac à patates. Tandis qu'Olivia, elle, ressemblerait à coup sûr à un top model.

J'ai entendu Papa entrer dans la chambre de Gem, à côté de la mienne.

— Et cette jupe ? a-t-il demandé.

— Pfff... Elle est trop vieille !

— Et ça, alors ?

— Mais il y a un trou dedans !

— C'est dommage, il t'allait bien, ce pantalon...

— Oui, quand j'avais cinq ans !

— Tu n'as pas à t'inquiéter, tu sais, Janet et Olivia sont des gens simples, comme nous. Ce ne sont pas des membres de la famille royale !

« Oui, mais elles allaient peut-être bientôt faire partie de la nôtre, ai-je pensé. Janet pouvait devenir notre nouvelle maman, et Olivia notre demi-sœur. » Soudain, tout cela m'a paru très effrayant.

— Je sais que ce ne sont pas des membres de la famille royale, a repris Gem. Mais je me sens encore plus nerveuse que si on devait se présenter devant la reine !

— Nous ne sommes pas obligés de les rencontrer, si tu n'en as pas envie. De toute façon, je n'ai jamais trouvé cette idée excellente. Si tu veux, je peux téléphoner pour annuler. Et on pourrait passer un week-end tranquille, rien que tous les trois...

— Non, non ! On va les voir ! ai-je crié pour qu'ils m'entendent à travers la cloison.

Notre piège à maman ne fonctionnerait jamais si on laissait Papa annuler tous ses rendez-vous.

— Je vais mettre cette jupe, a dit subitement Gem.

J'ai choisi un jean et un chemisier que j'adorais – jusqu'à ce matin, du moins.

— Splendide... à faire peur ! ai-je rétorqué à mon reflet dans le miroir. Puis j'ai examiné mon visage avec horreur. Non, pitié ! Pas ça, pas un gros bouton ! Là, en plein sur le menton, bien visible, énorme ! Impossible de ne pas le voir ! Comme si j'avais besoin d'un bouton aujourd'hui... J'ai essayé de le cacher du mieux que j'ai pu, sous une tonne de fond de teint.

En espérant que personne ne le remarquerait, je suis sortie de ma chambre avec un numéro de *Girls* et je me suis installée au salon pour le feuilleter. J'ai refait le test du mois, pour la dixième fois au moins : «Votre jules est-il vraiment dingue de vous ? » Absorbée par cette lecture, je n'ai plus beaucoup pensé à ma trouille de rencontrer Olivia et Janet. Une fois toutes les trente secondes, seulement.

Dix minutes plus tard, Papa s'est effondré dans le canapé, à côté de moi.

— On va tous se calmer, maintenant ! C'est censé être un plaisir, pas un calvaire !

— Mes cheveux, on dirait des queues de rat, a rouspété Gem en nous rejoignant au salon.

— Tu veux qu'on essaie d'arranger ça ? Je peux te couper les pointes…, a suggéré Papa.

— Et en plus, j'ai l'estomac noué.

— Je ne suis pas très rassuré, moi non plus… Et toi, Anna, ça va ?

— Moi ? Oh… J'ai seulement le cœur qui bat à cent à l'heure ! Rien de grave, quoi !

L'heure de notre rendez-vous avec Janet et Olivia approchait dangereusement.

— Maintenant, on ne peut plus reculer, a dit Papa en fermant la porte de la maison.

— J'espère qu'on va leur plaire !

— Écoute, si ce n'est pas le cas, ce n'est pas grave : on n'a pas mis tous nos œufs dans le même panier.

— Pourquoi tu parles d'œufs, Papa ? a demandé Gem, d'un air ahuri. Je croyais qu'on allait manger une pizza !

— Ce que je voulais dire, c'est que si nous n'apprécions pas Janet et sa fille, ou si on ne leur plaît pas, tant pis ! Nous avons encore beaucoup d'autres personnes à rencontrer !

J'ai quand même croisé les doigts en priant pour que tout se passe bien. J'avais tellement envie que ça marche ! Si on choisissait Janet dans le rôle de notre nouvelle maman, au bout de combien de temps pourrais-je lui demander si elle sait faire les nattes africaines ? Olivia savait peut-être les faire aussi – j'en aurais mis ma main à couper. Cette fille-là était sûrement capable de tout.

Une fois au Palais des Pizzas, on a attendu devant l'entrée, en essayant de ne pas paraître trop anxieux. Comme si on avait l'habitude de rencontrer des étrangers au restaurant.

— Qu'est-ce qu'on fait, si elles ne viennent pas ?

— Dans tous les cas on ira la manger, cette pizza ! a répondu Papa.

— J'espère quand même qu'elles vont bientôt arriver.

— Regardez là-bas ! Ce sont peut-être elles ?

Je venais de remarquer une femme et une

fille, un peu plus âgée que moi, qui se diri-
geaient vers nous. La fille me rappelait vague-
ment quelqu'un. Mais impossible de me sou-
venir où j'aurais pu l'apercevoir.

Gem leur a fait de grands signes.

— Vous devez être Tony, Anna et Gem, je
suppose? Moi, c'est Janet, et voici ma fille
Olivia.

Nous nous sommes serré la main.

Olivia était habillée comme un top model;
elle avait un très beau visage, les cheveux
souples et brillants, une peau de pêche et les
dents parfaitement blanches.

Je me suis demandé ce qu'elle pouvait penser de moi. Probablement pas grand-chose.

Je lui ai souri et elle m'a rendu un sourire
crispé. Puis elle s'est touché le menton, précisément à l'endroit où poussait mon bouton.

— Tu as quelque chose qui brille, là! C'est
du beurre de cacahuète?

— Non, non, ai-je répondu en m'essuyant
furieusement le menton.

Je savais que je n'aurais pas dû mettre
autant de fond de teint!

— On y va? a proposé Papa.

Gem, d'une main experte, a dirigé son
fauteuil roulant dans l'entrée.

J'avais la peau du menton complètement irritée à force de l'avoir frottée. Maintenant, mon bouton devait se voir comme le nez au milieu de la figure.

Un garçon nous a indiqué notre table. Il a retiré l'une des chaises pour laisser la place au fauteuil de Gem.

— C'est endroit est charmant, n'est-ce pas? a dit Janet en s'asseyant.

Le ton de sa voix était un peu pointu; on aurait dit qu'elle mentait.

Je ne pouvais m'empêcher de fixer Olivia. Elle avait à peine un an de plus que moi, mais elle était mille fois plus sophistiquée.

Pourquoi n'ai-je pas autant de classe, moi?

— Vous avez peut-être déjà vu Olivia à la télé, récemment? a demandé Janet. Elle joue dans la pub pour les chewing-gums Freedent!

— Voilà! C'est là que je t'ai vue! Depuis tout à l'heure, je cherchais pourquoi ton visage me disait quelque chose…

Je me rappelais très bien cette publicité pour le nouveau goût Freedent: on voit au moins une centaine de personnes mâcher du chewing-gum. Tu parles d'une gloire!

Olivia a haussé les épaules.

— Oui, enfin, j'espère obtenir un rôle dans «Charmes».

— C'est vrai?

J'étais très impressionnée : « Charmes », c'est une nouvelle série télévisée avec un groupe d'adolescents tellement beaux qu'ils n'ont presque pas l'air réels.

— Oui, Olivia va passer une audition la semaine prochaine, a confirmé Janet, fièrement.

Ça ne m'étonnait pas du tout. Olivia avait parfaitement une tête à jouer dans cette série.

— Vous m'avez bien dit que vous venez de déménager? a demandé Papa quand les pizzas sont arrivées.

— Oui! J'ai voulu changer de quartier pour qu'Olivia puisse être inscrite à Beechwood Academy. Cette école a une excellente réputation, n'est-ce pas? Et rien n'est trop bon pour ma fille. Mais il y a une autre raison…

Soudain le visage de Janet s'est assombri. Elle semblait très en colère.

— Quelle est cette raison? a poursuivi Papa.

— J'ai beaucoup de mal à parler de cette histoire, c'est trop horrible.

Cela m'a paru tout d'un coup très intéressant.

— Quelle histoire?

— L'école de notre précédent quartier a accusé Olivia de racketter les autres élèves!

J'étais indignée, comme vous pouvez vous l'imaginer. Ma fille ne ferait jamais une chose pareille, c'est impossible. Ce n'est pas dans sa nature !

— Veux-tu que je t'aide à couper ta pizza ? a demandé Olivia à Gem.

— Non, je...

— Oh, regardez-la, c'est vraiment un amour ! a fait remarquer Janet.

— Je n'ai besoin de personne pour couper ma pizza, je peux très bien le faire toute seule ! Je ne suis pas un bébé !

Mais Janet n'écoutait pas.

— Vous comprenez pourquoi j'étais si choquée quand ils ont prétendu que ma fille avait été prise sur le fait.

Olivia s'obstinait à vouloir couper la pizza de ma sœur, mais Gem la repoussait toujours.

— Olivia a toujours été tellement gentille ! C'est d'autant plus remarquable qu'elle est fille unique. Les enfants uniques sont réputés pour ne pas être très partageurs, n'est-ce pas ? Mais Olivia est particulièrement généreuse ! Parfois même trop... Je la surnomme « mon petit ange »...

J'ai jeté un coup d'œil à Gem. Elle m'a fait une grimace de dégoût, et je lui ai répondu en faisant semblant de vomir. Janet et Olivia étaient vraiment insupportables!

Heureusement, elles n'ont pas remarqué notre petit jeu. Par contre, Papa l'a très bien compris.

— J'ai toujours voulu savoir quel effet ça fait d'avoir des frères et sœurs! a dit Olivia, avec son petit sourire forcé.

Gem a manqué s'étouffer. Je pouvais lire dans ses pensées: «Eh bien, ce n'est pas nous qui allons t'apprendre, ça, c'est sûr!»

J'étais bien d'accord. On ne désespérait quand même pas de trouver une nouvelle maman au point de choisir n'importe qui!

— C'était très agréable; je serais ravie de vous revoir un jour! a dit Janet à la fin du repas.

— Oui, un jour…, a répondu Papa d'un ton évasif.

Non, merci, sans façon! Même si Janet était la reine des nattes africaines, et qu'elle savait tout sur les garçons, pour rien au monde je ne voudrais qu'elle soit ma nouvelle maman.

L'expression de Gem était également très explicite: ce n'était pas Janet qu'elle voulait prendre dans son attrape-maman!

Sur le chemin du retour nous nous sommes arrêtés chez le marchand de journaux. J'ai acheté le nouveau numéro de *Girls* et Gem a pris un paquet de Freedent. Elle nous en a donné un à chacun.

— Alors, les filles, que pensez-vous de notre premier rendez-vous ? a demandé Papa quand nous sommes rentrés à la maison.

— Berk !

— Je ne serai pas fâchée de ne jamais les revoir...

— Moi non plus, a admis Papa en mettant en marche la bouilloire pour le thé. Franchement, je doute qu'on déniche la perle rare avec ce type de rendez-vous...

— Mais bien sûr que si !

— Alors, Anna, tu veux dire que tu aurais été ravie de partager ta chambre avec ta demi-sœur Olivia ? a ajouté Papa en souriant.

— Plutôt mourir !

Plus tard dans l'après-midi, Papa et Gem sont partis à la piscine, comme chaque samedi. Ça m'arrive d'aller nager avec eux, mais la plupart du temps je reste à la maison. J'en profite pour regarder la télévision ou lire mon magazine. C'est rare d'avoir l'appartement pour moi toute seule !

— À tout à l'heure, Anna !

Sitôt la porte fermée, je me suis précipitée

sur le numéro de *Girls* que je venais d'acheter. Je voulais lire les pages de beauté.

Il y avait des tas de conseils pour être belle au naturel. Super! L'article commençait ainsi: «La nature offre une incroyable richesse de nutriments essentiels pour une peau belle à croquer…» Ensuite, il y avait quatre recettes pour la préparation de masques censés rendre la peau éblouissante de santé et de fraîcheur.

Ça tombe bien! J'aimerais tellement avoir une peau «éblouissante»… Mais pour l'instant, la seule chose qui brille sur mon visage, c'est ce gros bouton sur le menton. En plus, il grossit à vue d'œil. Le traître!

Le premier masque était à base de blancs d'œufs battus. Berk! Rien que de m'imaginer en train de me tartiner le visage d'œuf cru… Argh! Et si j'en avalais un peu par maladresse? Ou encore, ça pouvait glisser lentement le long de mes joues, et j'en aurais dans la bouche… et… Non, non! C'est bien trop dégoûtant!

Même pour Léo, on ne me ferait pas avaler d'œuf cru.

Par contre, si on forçait Léo à gober un œuf, ça me serait bien égal. Il a obligatoirement dû trouver mon mot, lundi soir en rentrant du collège. Mais toute la semaine, il a fait comme si de rien n'était. Qu'il ne daigne même pas me répondre était presque pire que s'il m'avait dit non en face, devant tout le monde.

Mardi matin, en cours d'histoire, je n'ai pas arrêté de le regarder ; mercredi en sport, jeudi et vendredi à la cantine, j'ai essayé de capter son regard. Mais chaque fois, il a fait mine de ne pas saisir. Vraiment, les garçons… Je n'y comprends rien !

Alors, j'ai décidé qu'il était nul et qu'il ne me méritait pas – même avec un gros bouton sur le menton.

Mon magazine suggérait d'écraser des bananes pour faire le deuxième masque facial. J'ai regardé dans la coupe de fruits, mais il ne restait que deux pauvres pommes toutes fripées.

Pour faire le troisième masque, il fallait mélanger de la farine d'avoine et du miel. Mais dans les placards, je n'ai trouvé que des flocons d'avoine pour le petit déjeuner. Hmm… Pas sûr que ça fasse exactement le même effet que la farine.

Le dernier masque proposé était à base d'avocat. Celui-là, je pouvais le faire. J'étais persuadée d'en avoir vu un caché au fond du frigo, deux jours auparavant.

J'ai ouvert le réfrigérateur ; chouette ! Il

reste bien un avocat ! Bon, il est dans un piteux état, tout ramolli, mais ça n'a pas d'importance, puisqu'il faut le réduire en bouillie.

Je l'ai coupé en deux et j'ai délicatement ôté la peau avant d'écrabouiller la chair en purée. Ça avait l'air plutôt salissant, cette pâte... Comment faire, pour ne pas m'en mettre plein les cheveux ? Si seulement j'avais un bandeau... Mais ça ne me va pas très bien, les bandeaux ! Ça me fait un gros front.

J'ai tourné en rond un moment, avant de trouver la solution : une petite culotte propre ! Avec ça, évidemment, je n'avais pas l'air très malin, mais ça retenait bien les cheveux en arrière. Je me suis attaché une serviette autour du cou. Puis j'ai étalé une épaisse couche de purée d'avocat sur le visage. Effet répugnant garanti : on aurait dit que j'étais gravement malade ! Je n'étais pas franchement séduisante comme ça, mais, bon, puisque mon magazine prétendait que c'était efficace...

Je me suis assise à la table de la cuisine et j'ai fixé l'horloge au-dessus du four. Il fallait laisser le masque agir pendant quinze minutes. C'est long... surtout sans bouger ! Dès que je tournais un peu la tête, la pâte glissait sur la peau. Pas moyen de boire le moindre verre de jus d'orange…

Alors j'ai fermé les yeux et j'ai essayé de respirer profondément, suivant les instructions de *Girls*, pour me détendre.

Quand la sonnette de la porte d'entrée a retenti, ça m'a tellement surprise que j'ai failli tomber de ma chaise. Qui était-ce? C'était bien le moment!

Ça ne pouvait pas être Gem et Papa. Ils ne rentrent pas si tôt de la piscine, d'habitude, et de toute façon ils ont au moins une paire de clefs!

Est-ce que je devais ouvrir? Mais comment faire, avec mon masque? Je n'avais pas envie de l'enlever à toute vitesse. Ce n'était peut-être qu'une blague des gamins du quartier, qui s'amusaient à sonner avant de déguerpir. Et puis, ça ne faisait pas quinze minutes que j'avais mon masque, et j'avais utilisé le dernier avocat…

Je n'avais qu'à regarder par le judas, pour espionner l'intrus.

Je me suis dirigée vers la porte d'entrée, la tête penchée en arrière pour ne pas faire tomber mon masque.

À travers le judas, j'ai reconnu quelqu'un

qui m'était familier. Quelqu'un que je ne m'attendais certainement pas à voir là! Léo!

Qu'est-ce qu'il faisait là?

Souvent, dans mes rêves, je le voyais sonner à la porte d'entrée, se mettre à genoux et me déclarer qu'il ne pouvait plus vivre sans moi. Et aujourd'hui, ce n'était pas un rêve! Il était là, bien réel, sur le palier. Sauf que moi, je portais une culotte sur la tête et que j'avais le visage barbouillé d'avocat, comme si je m'étais mis plein de vomi partout!

Il ne fallait pas que Léo me voie comme ça. Comment faire?

Si je courais à la salle de bains pour enlever le masque, il penserait qu'il n'y avait personne, il s'en irait et il ne reviendrait peut-être jamais! L'angoisse! Mais si j'essuyais le masque avec la serviette sans me regarder dans une glace, j'allais peut-être en oublier! Et j'aurais l'air ridicule avec des morceaux de pâte verte dégoûtante collés sur les joues!

Il a sonné une nouvelle fois. Une idée, vite, vite!

Alors, j'ai ôté la serviette de mon cou et je m'en suis recouvert la tête. Le seul problème, c'est que je ne pouvais pas voir Léo. Mais c'était sûrement moins ridicule comme ça.

J'ai ouvert la porte.

— Tiens, salut Léo !

Ma voix était étouffée par la serviette. Et aussi un peu par l'émotion...

— C'est toi, Anna ?

— Oui !

— Pourquoi t'as une serviette sur la tête ?

Je t'en pose des questions, moi ? Et si j'ai envie de me mettre une serviette sur la tête ? J'ai bien le droit, euh... de jouer au fantôme avec ma sœur ! Ou bien de me faire une inhalation ! Et puis, je lui demande, moi, si sa sœur bat le beurre ?

Et d'abord, quel mensonge pouvais-je bien inventer ? En tout cas, je ne lui dirais certainement pas la vérité ! Il ne comprendrait pas. Aucun garçon ne le pourrait.

Et puis, j'avais décidé d'ignorer Léo. Il n'avait pas répondu à mon invitation pour le bal de fin d'année du collège, après tout !

— Qu'est-ce que tu veux, Léo ?

— Euh... C'est à propos de ton mot.

— Eh bien ?

— Eh bien, c'est oui.

— Oui quoi ?

— Oui, je veux bien aller à la boum avec toi. Je passerai te chercher à sept heures et demie.

J'étais tellement abasourdie que j'ai failli

enlever ma serviette pour le regarder. Heureusement, je me suis rappelé juste à temps de quoi j'avais l'air!

— D'accord!

— Voilà. Bon, ben, salut!

J'ai attendu un instant avant de fermer la porte. Je voulais écouter les pas de Léo qui partait, pour m'assurer que je n'avais pas rêvé. Mais je ne pouvais pas voir s'il était au bout de l'allée, ou s'il avait déjà franchi le portail.

Sous la serviette, je souriais bêtement. Léo avait dit oui!!!

Toute la fin de l'après-midi, je suis restée sur mon petit nuage. *Girls* dit que c'est parfaitement normal d'être dans cet état quand on est amoureuse. Papa, lui, n'a pas compris : il faut dire que j'ai versé du sel dans son thé, quand il m'a demandé un peu de sucre. Il m'a priée, d'un ton sec, de redescendre sur terre.

Être sur un petit nuage, c'est un truc de filles, je crois. Voilà une raison supplémentaire pour chercher une nouvelle maman. Au moins, elle ne me disputerait pas quand je serais dans cet état.

Janet était hors jeu ; mais Élaine conviendrait peut-être très bien.

Chapitre 5

Le lendemain, après le petit déjeuner, il a fallu se préparer pour notre deuxième rendez-vous. Ce jour-là, nous devions faire la connaissance d'Élaine et de son fils au café des Mille Saveurs.

Quand j'ai ouvert mon armoire, j'ai eu la bonne surprise de constater que mes vêtements étaient redevenus beaux pendant la nuit. Bien sûr, ils n'étaient toujours pas du dernier cri ; mais la situation n'était pas totalement désespérée non plus.

Gem a dû avoir la même impression, car je ne l'ai pas entendue se plaindre qu'elle n'avait rien à se mettre.

On a tous attendu l'heure du rendez-vous beaucoup plus calmement que la veille.

— Je n'ai pas peur du tout, aujourd'hui, a dit Gem en allumant la télévision.

— Moi non plus !

— On commence à s'habituer à ce type de rencontres, a dit Papa. Mais je reste convaincu que ce n'est pas dans ces conditions que vous trouverez votre nouvelle maman, ni moi ma nouvelle femme.

— C'est pourtant possible...

— C'est même sûr ! ai-je insisté. Élaine et son fils n'auront pas de mal à être plus aimables que Janet et Olivia !

— Oui, tu as raison, ça m'étonnerait qu'on tombe sur pire !

— Ça, les filles, je n'en mettrai pas ma main à couper...

À dix heures et demie, on s'est mis en route pour le rendez-vous.

— Je crois que je vais prendre un banana-split !

— Pour moi, ce sera vanille avec des morceaux de caramel !

— Et moi, a renchéri Papa, je vais craquer pour leur chocolat liégeois. Il est divin !

On approchait du café des Mille Saveurs quand j'ai de nouveau senti mon estomac se nouer. J'ai eu peur de ne rien pouvoir avaler tant j'étais angoissée.

— Je me demande à quoi il ressemble, le fils d'Élaine… On ne sait même pas comment il s'appelle !

— Elle n'avait pas l'air sûre qu'il daigne venir, tu sais, a répondu Papa. Nous ne le verrons probablement pas !

Mais quand on est arrivés au café, j'ai vu qu'Élaine n'était pas venue seule.

Une femme et un adolescent de quatorze ans environ se tenaient devant l'entrée du café.

J'ai cru m'évanouir. Je connaissais ce garçon. Enfin, pas tout à fait ; mais je l'avais déjà rencontré et je m'étais juré de tout faire pour ne plus jamais le croiser. C'était un des élèves de Beechwood qui m'avaient suivie après les cours. Je ne savais pas si j'aurais la force de lui parler. Je ne pouvais même pas supporter l'idée d'être à moins de cent mètres de lui.

C'était nous qu'ils attendaient, j'en étais sûre. L'angoisse ! J'aurais tout donné pour rentrer à la maison et être en sécurité.

Il m'a immédiatement reconnue. D'abord déstabilisé, il s'est ressaisi et m'a jeté un regard méchant.

Ma première réaction a été de détourner les yeux. Mais je me suis ensuite forcée à soutenir son regard. « Du calme », Anna, pensais-je: «Il n'y a aucune raison de se laisser impressionner. »

— Ce doit être eux, a murmuré Gem.

Je n'étais quand même pas très rassurée par le regard que me lançait le fils d'Élaine.

— Ils ont l'air bien!

Papa a souri à Élaine et à son fils; Gem leur a fait un signe de la main.

Je n'ai pas bougé d'un pouce.

Ils n'ont pas réagi non plus. Élaine regardait au loin, comme si nous étions invisibles et qu'elle attendait quelqu'un d'autre. Son fils lui a murmuré quelque chose à l'oreille. Elle nous a jeté un coup d'œil, a hoché la tête comme pour répondre à son fils. Puis ils se sont retournés et sont partis.

— Ah! Ce n'était donc pas eux, a déclaré Gem.

Élaine et son fils ont disparu au coin de la rue.

Gem s'est mise à rire.

— Ils ont dû me prendre pour une folle quand je leur ai fait signe de la main. C'est pour ça qu'ils ne m'ont pas répondu!

— Heureusement qu'on n'est pas allés les voir pour leur demander de manger une glace avec nous! a ajouté Papa. On n'aurait pas eu l'air malins…

On a patienté encore un moment. Je savais bien que personne d'autre ne viendrait, mais je ne l'ai pas dit. Pour cela, il aurait fallu que je raconte à Papa que les garçons de la bande de Beechwood m'avaient un jour suivie en m'insultant. Et j'avais bien vu que ça n'avait pas servi à grand-chose d'en parler, ce jour-là. Papa ne s'en souvenait probablement pas. Mais moi, je savais que c'était bien Élaine et son fils qui attendaient au coin de la rue : j'en aurais mis ma main à couper. En me voyant arriver, le fils d'Élaine avait dû craindre que je ne le dénonce. Tu parles ! Avec ses copains, il pouvait frimer, mais là, c'était pas pareil… Il avait alors inventé une excuse pour partir, et sa mère, naïvement, l'avait écouté. Qu'avait-il pu imaginer comme prétexte, ce minable ?

Papa et Gem, sur le trottoir, continuaient à scruter tous les coins de rue. Pour jouer, Gem avait parié qu'elle serait la première à voir arriver ceux que nous attendions.

Dix minutes sont passées. Papa commençait à s'énerver.

— Ils sont un peu en retard…

Cinq autres minutes se sont écoulées.

— Les voilà !

Gem désignait une femme qui portait des

paquets, épuisée, et un garçon qui la suivait en râlant.

— Allons leur dire bonjour! a décidé Gem en déclenchant la commande de son fauteuil roulant.

J'allais leur dire que ce n'était pas la peine, mais c'était trop tard. Gem et Papa interpellaient déjà la femme et le garçon. Alors, je les ai suivis. Je m'étais peut-être trompée, après tout?

Mais j'en doutais.

— Bonjour! a dit Gem en stoppant devant eux.

La femme, interloquée, a posé ses paquets par terre.

— Je suis heureux que vous ayez pu venir tous les deux! a déclaré Papa avec son plus grand sourire.

— Oui, a dit Gem. On commençait à penser que vous n'alliez jamais arriver. Vous auriez raté quelque chose, parce que les Mille Saveurs, ça vaut le détour! Enfin, de toute façon, Papa m'avait promis qu'on irait manger une glace même sans vous.

J'ai regardé la femme. Stupéfaite, elle hochait la tête.

— Je suis désolée, il doit y avoir une erreur, je ne vous connais pas!

Elle a jeté un regard interrogateur à son fils, qui avait l'air de plus en plus renfrogné. Il a grogné qu'il ne nous connaissait pas non plus.

— Ce n'est pas Élaine et son fils ! ai-je affirmé.

La femme m'a dévisagée.

— Non, en effet. Je m'appelle Mary et mon fils, Jeff. Nous avons fait quelques achats pour lui ! Il fallait renouveler sa garde-robe…

— Allez, Maman, on y va…

— Pardonnez-nous ! Nous vous avions pris pour quelqu'un d'autre !

— Vous ne voulez pas venir manger une glace avec nous, malgré tout ? a proposé Gem. Vous semblez avoir bien besoin de vous détendre !

— Effectivement…, a acquiescé Mary. Faire les magasins avec Jeff, c'est toujours un calvaire !

— Maman ! S'il te plaît…

— Non, sans blague, a demandé à son tour Papa, pourquoi ne pas manger une glace avec nous ?

— Ce serait avec plaisir, mais c'est impossible. Mon mari nous attend au parking ! Il déteste faire les courses, alors il reste toujours dans la voiture. Et il vaut mieux qu'on ne traîne pas : il n'est pas très patient ! Enfin, je vous remercie pour votre offre. J'espère que les gens que vous attendez ne vont pas tarder !

Jeff et Mary se sont dépêchés de rejoindre le parking.

Papa nous a regardées.

— Je crois bien que nous allons rester entre nous ! Ce n'est pas la peine d'attendre plus longtemps Élaine et son fils. À mon avis, ils ne viendront plus. Qu'en pensez-vous ?

— Je suis d'accord !

— Mais on va quand même manger une glace ? a supplié Gem.

— Oh oui ! On l'a bien méritée !

On est entrés au café des Mille Saveurs et chacun a commandé son parfum préféré. C'était tellement délicieux qu'on a vite oublié le rendez-vous manqué. Et puis, on a bien rigolé, en repensant à la tête de Jeff, quand on lui a proposé de venir manger une glace avec nous. Il avait dû nous prendre pour des cinglés !

J'étais contente d'être simplement avec Papa et Gem. Et par-dessus tout, j'étais soulagée de ne pas avoir été obligée de m'asseoir près du fils d'Élaine. D'ailleurs il devait lui-même se réjouir d'avoir échappé à ma compagnie.

Mais j'étais plutôt sceptique quant à l'efficacité de notre attrape-maman.

— Plus que deux possibilités sur les quatre! Ce n'est pas très encourageant...

— Il ne faut pas désespérer : il nous reste encore cinquante pour cent de chances de rencontrer quelqu'un de bien!

— Mouais... Tu as raison.

J'espérais que les deux prochains rendez-vous se passeraient mieux que les précédents. Effectivement, la petite annonce n'avait pas donné jusque-là de résultats très positifs.

Quand je suis partie pour l'école, le lundi matin suivant, j'ai aperçu Kate qui distribuait le courrier au bas de la rue. J'ai couru à sa rencontre.

— Bonjour! ai-je chantonné.

Kate a répondu à mon salut par un grand sourire.

— Alors, ces rendez-vous? Vous avez trouvé la perle rare?

Je lui avais annoncé, quand je l'avais croisée vendredi dernier, qu'on devait rencontrer deux personnes. Elle avait selon moi le droit d'être au courant, parce que, après tout, c'était un peu grâce à elle qu'on avait pu obtenir ces rendez-vous. Du moins, c'était elle qui nous avait transmis la fameuse enveloppe de *La Tribune de Medlock*.

— Le deuxième n'est jamais venu, et le premier a été un vrai désastre!

J'ai commencé à lui détailler notre entrevue avec les insupportables Janet et Olivia, qui était à mes yeux encore pire que sa mère.

— Non, elle a vraiment dit ça? s'est exclamée Kate quand je lui ai raconté l'histoire du beurre de cacahuète sur le menton. C'est méchant! Et en plus, c'est nul.

Rambo a aboyé en nous voyant passer devant le portail. Je suis allée le caresser, le temps que Kate distribue le courrier à la maison voisine. Yves la Gencive est sorti sur le perron.

— Bonjour, monsieur Yves! Avez-vous retrouvé votre dentier?

— Non, pas encore, a-t-il répondu en découvrant ses gencives roses et brillantes, dans un large sourire. Mais je ne suis pas vraiment inquiet... Mes fausses dents ont toujours retrouvé le chemin de la maison!

Kate est venue me rejoindre.

— Bonne journée, vous deux!

J'ai raconté à Kate que Léo avait accepté de m'accompagner à la soirée de fin d'année.

— Il a failli me voir avec le masque contre l'acné que je m'étais mis. J'étais tellement gênée que j'ai gardé ma serviette sur la tête pendant que je lui parlais. L'air fin ! Oh là là, heureusement qu'il n'a pas remarqué que j'étais barbouillée d'avocat ! Il serait parti en courant, t'imagines ?

Puis, comme je me sentais un peu bête de ne pas lui avoir laissé le temps de dire quoi que ce soit, j'ai demandé à Kate ce qu'elle avait fait pendant le week-end.

— Oh, la routine… J'ai décidé de faire un peu de sport pour garder la forme. Alors, tous les après-midi, après ma tournée, à quatre heures, je fais du jogging dans le parc ! J'ai quelques kilos à perdre…

— Mais, avec toute la marche à pied que tu fais pendant ton travail, ça ne suffit pas ?

Kate a secoué la tête.

— Tu ne sais pas à quel point je suis gourmande ! Je mange comme un ogre. Non, vraiment, le jogging n'est pas superflu, si je ne veux pas finir grosse comme une barrique !

J'ai regardé ma montre. J'avais passé tellement de temps à discuter avec Kate que j'allais arriver en retard au collège.

— Je dois y aller !

— D'accord! À bientôt!

J'ai couru sur le chemin. Au coin d'une rue, je me suis brusquement arrêtée. Devant moi, il y avait les trois garçons de Beechwood Academy. L'horreur! Mais je me suis calmée : ils ne me verraient pas, si je restais derrière eux. Finalement, j'avais de la chance d'être en retard. Merci, Kate!

Tomber dans l'une de leurs embuscades était bien mon pire cauchemar. Le fils d'Élaine, le plus méchant, était visiblement le chef de leur bande. Il marchait en tête, de son air fier et méchant.

Heureusement, ils ne se sont pas retournés, et ils ne m'ont pas remarquée. Je me suis cachée derrière un lampadaire et j'ai attendu qu'ils sortent de mon champ de vision. J'avais noté qu'une quatrième personne les accompagnait aujourd'hui. De loin, j'ai cru reconnaître Olivia.

Je me suis souvenue de l'indignation de Janet à l'idée que sa fille soit accusée de racket. Elle traînait pourtant avec la bande de Beechwood Academy, maintenant! Les surveillants de son précédent collège n'avaient sans doute pas eu tout à fait tort...

Dès que je les ai vus disparaître, j'ai repris mon chemin. J'avais dix minutes de retard mais je l'avais échappé belle! Je tremblais encore à l'idée de ce qu'ils auraient pu me faire.

Arrivée à la grille du collège, je me suis précipitée dans ma salle de classe. Mme Trent venait juste de commencer l'appel.

Je ne savais pas à quoi m'attendre avec Léo. Quel comportement allait-il adopter vis-à-vis de moi, maintenant qu'on était presque ensemble? J'avais quasiment tout imaginé... mais je ne m'attendais certainement pas à ce qu'il continue de m'ignorer!

Chaque fois que je le regardais, il tournait la tête, ou bien il se plongeait dans son magazine d'informatique. Il a même fait semblant de se concentrer sur son travail, en géographie. Le fourbe: il déteste cette matière! J'avais l'impression d'être complètement transparente. Pourtant, il sentait que je le regardais. Je l'aurais juré.

Essayer de lui parler?

Mission carrément impossible! Il détournait tout simplement le regard dès qu'il me voyait approcher.

Il regrettait peut-être d'avoir accepté de m'accompagner à la soirée... Moi, j'avais toujours envie d'y aller avec lui – et même plus que jamais. Sa curieuse façon d'agir ne me le rendait pas moins aimable. Au contraire, je crois qu'il me plaisait encore davantage.

Mais pourquoi était-il si étrange ? Pourquoi ne s'était-il pas rendu à l'évidence ? J'étais la fille de ses rêves ; alors pourquoi ne me traitait-il pas comme telle ?

À la récréation, j'ai changé de tactique. Il pensait peut-être que c'était à moi de faire le premier pas ; mais quand j'ai voulu m'asseoir à côté de lui, au cours suivant, il a changé de place ! À la cantine, j'ai de nouveau tenté ma chance. Et dès que je me suis installée à sa table, il s'est relevé en déclarant qu'il n'avait plus faim. Sa conduite était vraiment blessante : d'abord, il accepte d'être mon cavalier ; ensuite, il passe son temps à m'éviter !

L'après-midi, Léo n'est pas revenu en classe.

— Où est-il ? ai-je demandé à Gary, son meilleur copain.

— Rentré chez lui.

Le moins qu'on puisse dire, c'est que Gary n'est pas très loquace.

— Pourquoi ?

— Il a la varicelle.

— Quoi ?!?!

Gary a cru que je n'avais pas entendu.

— La va-ri-celle !

Je suis retournée à ma place, effondrée. La

fête de fin d'année était dans deux semaines !
Léo serait-il rétabli, ce jour-là ? Ou bien serait-
il encore malade ? Je ne voulais pas y aller
avec un autre que lui !

Je ne savais plus que penser. La varicelle
l'avait peut-être rendu amnésique ? Ou alors,
il ne m'aimait pas vraiment ? À moins qu'il
ne sache pas non plus comment se compor-
ter vis-à-vis de moi ? Est-ce que je devais lui
écrire une carte, pour lui souhaiter un bon
rétablissement ? J'imagine que c'est l'usage,
quand on tient à son petit ami. Il fallait que
je me débrouille pour trouver son adresse.

Je suis retournée voir Gary.

— C'est bien dans le quartier près de la
rivière qu'il vit, Léo, non ?

— Nan.

J'ai attendu un instant qu'il continue, mais
Gary devait penser qu'il avait répondu à ma
question, car il n'a pas jugé nécessaire d'en
dire plus.

— Il habitait pourtant bien là-bas, avant !
ai-je relancé.

— Il a déménagé.

— Où donc ?

— Hmmm… Rue de l'Arquebuse.

— Rue de l'Arquebuse ! me suis-je étouffée.
C'était celle d'Yves la Gencive !

Gary a ouvert la bouche, comme pour ajouter quelque chose ; mais il est resté silencieux quelques instants avant de poursuivre :

— Au numéro 33.

— 33 !

Yves la Gencive habitait au numéro 29. Dire que je prenais la rue de l'Arquebuse presque chaque jour et que je n'y avais jamais croisé Léo ! Si j'avais su qu'il vivait là, jamais je n'aurais osé passer, l'air de rien, devant sa maison. Je n'aurais pas pu m'empêcher de regarder à travers les fenêtres, pour essayer de le voir.

Il me serait très facile de déposer une carte au numéro 33. Mais Léo préférait peut-être que je ne le voie pas le visage couvert de boutons. Je n'avais pas voulu, moi, qu'il me voie quand je n'en avais qu'un ! Si seulement je connaissais quelqu'un à qui demander conseil...

Après les cours, je suis allée acheter une carte. Je me suis creusé la tête pour trouver quelque chose de drôle à écrire. J'ai réfléchi longtemps avant d'opter finalement pour un message très simple : « J'espère que tu vas vite guérir et que tu pourras venir à la soirée du collège. À vendredi, sept heures et demie, devant chez moi. Gros bisou, Anna. »

Je suis passée par la rue de l'Arquebuse mais je n'ai pas eu le courage de sonner chez Léo ni de glisser la carte dans sa boîte aux lettres.

Je n'ai pu que longer sa maison, le dos plié pour rester cachée par la haie, en priant pour qu'il ne me voie pas.

Non loin, Rambo a aboyé ; je lui ai fait signe de se taire, puis je suis partie chez moi en courant.

Chapitre 6

Le samedi suivant, on est allés au parc d'attractions du Grand Ouest pour retrouver Rodéo Sue.

Papa avait mis un pull bleu, pour que les chevaux ne le confondent pas avec leur nourriture. Il craignait plus, disait-il, de se trouver en face d'un cheval affamé que de rencontrer Sue.

— On devrait peut-être essayer de la trouver, pour la remercier de nous avoir envoyé des invitations? ai-je suggéré. J'étais impatiente de faire sa connaissance.

Mais Papa pensait qu'il valait mieux attendre.

— Elle nous a écrit qu'elle nous attendrait au Café des Cow-boys. Elle doit être très occupée avant la représentation. Il faut sûrement qu'elle se prépare, et je ne veux pas la gêner dans son travail.

— Tu as raison ! Allons plutôt voir les jeux !

Gem avait hâte de faire le tour du parc.

— Cet endroit est immense !

Effectivement, il y avait un nombre incroyable de stands. On a commencé par le tir : on devait viser des cibles en forme de taureau avec un fusil à air comprimé. Pour gagner le gros lot, il fallait atteindre l'œil de l'animal au centre de la cible. Aucun de nous n'a réussi ; mais on a quand même obtenu des scores honorables.

Par contre, Gem a très bien visé, au tir à l'arc. En plein dans le mille ! Le Sioux qui tenait le stand était très impressionné.

— C'est normal, lui a-t-elle dit, ça fait quatre ans que je m'entraîne au club de mon école !

Ensuite, au lancer de fers à cheval, on a fait un concours tous les trois. C'est Papa qui a réussi à empiler le plus de fers sur les piquets métalliques plantés dans le sol. Pour fêter sa victoire, il nous a acheté un gros cornet de glace à chacune. Puis on est allés explorer la boutique du Grand Ouest.

J'ai beaucoup aimé les bagues, les bracelets et les colliers de cuir. Ceux avec des turquoises étaient particulièrement beaux.

Papa a essayé un chapeau de cow-boy, et Gem une coiffe typique des premiers colons.

— Papa, regarde, une amulette pour chasser les cauchemars !

— Qu'est-ce que c'est ? a demandé Papa en reposant son chapeau.

Il est venu près de moi pour observer de plus près le talisman rond, décoré de lanières de cuir et de plumes.

— Il faut l'accrocher au-dessus de ton lit. Les rêves passent à travers pendant la nuit et le capteur retient les mauvais. Comme ça, tu n'auras plus de nuits agitées ! lui a expliqué Gem.

— Je n'en ai pas besoin. Je ne me souviens même pas de mes rêves, et j'ai un sommeil de plomb. Je m'écroule sitôt que je pose la tête sur l'oreiller, et je n'ouvre plus les yeux avant le réveil, le lendemain !

Il a retourné l'amulette pour connaître son prix.

— En plus, c'est horriblement cher !

— Et celui-là, regarde !

Je lui ai montré un capteur de rêves en argent, orné de fines bandelettes de cuir.

— Il est joli, effectivement !

— Oui, ai-je insisté en le relevant au-dessus de ma tête. (J'ai regardé Papa.) Je peux en avoir un ?

— Et moi aussi ? a ajouté Gem. S'il te plaît...

Papa a poussé un profond soupir.

— Bon... D'accord.

Gem et moi avons choisi chacune notre capteur de rêves. Papa a payé, puis il a regardé sa montre.

— Ça va bientôt être l'heure du rodéo, les filles ! Allons-y !

Nos places étaient situées au premier rang. On avait l'impression d'être au milieu de l'arène.

Les cavaliers et leurs chevaux sont entrés et ont fait le tour de la piste, au trot. Les spectateurs, debout sur les gradins, hurlaient si fort qu'ils devenaient rouges comme des tomates.

J'ai souri à Gem.

— C'est trop drôle !

— Je me demande qui est Rodéo Sue.

Il y avait en effet quatre femmes sur scène. Comment reconnaître celle qui nous avait invités ?

— Ne me dites plus que les chevaux ne sont pas des créatures effrayantes, a dit Papa.

Une jument venait juste de passer la tête

par-dessus la palissade, et de souffler dans notre direction. Gem et moi avons explosé de rire.

— Le souffle d'un cheval n'a jamais tué personne, Papa, voyons…

Gem a fait une abominable grimace et a pris une voix d'outre-tombe :

— Voici venir l'Effroyable Haleine de la Mort !

— Hein, c'est malin !

— Allez, Papa ! Lève la main ! Je suis sûre que tu seras choisi pour participer à un numéro. Je parie qu'ils prennent toujours les spectateurs du premier rang.

Cette idée n'avait pas l'air de l'enchanter.

Les cavaliers sont sortis de la piste. La première performance allait commencer : le lancer de couteaux !

Un homme en costume de cuir noir, avec des franges sur les côtés, est entré dans l'arène, suivi d'une jeune femme en maillot à paillettes. Elle a pris place au cœur d'une grande cible. Des roulements de tambour annonçaient chacune des figures époustouflantes du lanceur. J'ai eu particulièrement peur, quand il a lancé un couteau les yeux bandés : un geste mal assuré, et la lame aurait pu transpercer le corps de sa partenaire.

— J'espère qu'ils ne vont pas ensuite faire appel à des volontaires ! Je n'aimerais pas servir de cible !

Heureusement, le cow-boy avait terminé son numéro.

— Je voudrais que vous fassiez un triomphe à Dan, le fameux, l'extraordinaire, l'irremplaçable Homme aux Couteaux ! a dit le présentateur.

Un tonnerre d'applaudissements a retenti. Des gens sifflaient avec leurs doigts. Le public était peut-être simplement soulagé de se trouver maintenant hors de portée des couteaux. En tout cas, moi, je respirais !

L'Homme aux Couteaux et la jeune femme ont salué.

Puis deux cow-boys sont entrés sur scène en poussant un cheval mécanique. Deux autres ont posé des matelas épais au centre de l'arène.

— Et maintenant, ladies and gentlemen, place au rodéo ! Y a-t-il des volontaires dans le public ? Vous, monsieur, par exemple ?

Le présentateur pointait son doigt en direction de Papa, qui s'est retourné pour regarder derrière lui. Un peu comme Léo quand je lui adressais un sourire l'autre jour... Mais c'était bel et bien Papa qui avait été choisi.

— Je ne pense pas que…, a-t-il commencé à bafouiller.

Mais l'animateur ne l'écoutait pas.

— Allons, monsieur, soyez sans crainte! Il n'y a aucun risque!

— Oui, eh bien, c'est ce que vous dites…

Mais il était trop tard pour reculer. Deux cow-boys se sont avancés vers nous. L'un d'eux a placé son chapeau sur la tête de Papa. À contrecœur, il les a suivis. Ils l'ont aidé à se hisser sur le cheval mécanique.

— Tu crois que c'est vraiment sans danger ? Ils ne laisseraient pas quelqu'un du public risquer de se rompre le cou, quand même? ai-je demandé à Gem.

Elle n'a pas répondu. Elle avait les yeux rivés sur Papa. Campé sur le cheval mécanique, crispé, inquiet, il tenait les rênes d'une main, et de l'autre, il s'agrippait à la selle.

— Pauvre Papounet… Il ne va guère apprécier…

Tout d'abord, le cheval a commencé par se balancer doucement, d'avant en arrière. Papa a semblé rassuré, mais le rythme s'est soudain accéléré. Déjà, le sourire de Papa avait disparu, quand les mouvements de ruade sont devenus de plus en plus forts, et la cadence toujours plus rapide. Maintenant, Papa avait l'air terrifié. La seconde d'après, c'était déjà terminé : Papa avait été projeté par-dessus la tête du cheval mécanique. Heureusement, il avait atterri sur les matelas !

— Je vous demande d'applaudir très fort notre premier concurrent ! s'est exclamé le présentateur, quand Papa s'est relevé en ramassant son chapeau.

Je l'ai acclamé en poussant des cris perçants.

— Bravo, Papa ! Tu es le meilleur ! lui a dit Gem quand il est revenu à sa place, l'air un peu sonné.

— Merci, ma chérie. Mais je ne ferais pas ça tous les jours !

— C'était dur ?

— Assez pénible, oui !

L'animateur a demandé s'il y avait d'autres volontaires. Puis, comme personne ne levait la main, il a désigné quelqu'un. Le deuxième concurrent est resté en selle moins longtemps que Papa, et le troisième est carrément tombé au bout de cinq secondes.

— Tu vois, Papa, tu es le plus fort !

— Oui, peut-être, mais je ne remettrai pas mon titre en jeu ! a-t-il répondu dans un demi-sourire.

Le présentateur continuait d'applaudir les participants.

— Et maintenant, ladies and gentlemen, vous allez pouvoir admirer de véritables maîtres ! Veuillez applaudir la meilleure d'entre tous : voici… Rodéo Sue !

J'ai retenu mon souffle quand elle est apparue sur scène. Allait-elle devenir notre nouvelle maman ? Papa la trouverait-il séduisante ? Allait-elle nous apprécier ?

Rodéo Sue était plus belle encore que je ne l'avais imaginée : lancée au galop, sur son grand cheval noir, elle ressemblait à une princesse, avec ses longs cheveux roux qui volaient derrière elle. Après deux tours de piste, elle s'est redressée, debout sur la selle. Elle s'est tenue en équilibre sur une seule jambe, bras tendus. Et elle gardait le sourire, en plus. La classe !

Mais Rodéo Sue n'avait pas fini de nous étonner. Elle a fait le poirier, puis, toujours au galop, elle s'est glissée sous le ventre de son cheval pour remonter ensuite par l'autre flanc.

— Elle est trop forte ! s'est exclamée Gem.

On a tous les trois applaudi si fort qu'on en a eu mal aux mains.

À la fin du spectacle, on est allés attendre Rodéo Sue au Café des Cow-boys.

Elle est entrée dans la salle, dix minutes après, et s'est dirigée droit vers notre table. Son visage était encore rouge. Il lui faut sans doute plus de temps, d'habitude, pour récupérer après un pareil effort.

— Salut! nous a-t-elle lancé.

— Salut! Vous êtes la meilleure cavalière du monde! a dit Gem.

— Je vous prends au bras de fer? a-t-elle proposé en s'adressant à Papa, qui était un peu intimidé. (Elle nous a montré ses biceps: jamais je n'en avais vu d'aussi impressionnants chez une femme.) J'arrive à connaître un homme rien qu'en me battant au bras de fer avec lui.

Papa a bredouillé une vague excuse, à peine compréhensible. Il faut dire qu'on ne pratique pas beaucoup ce type de sport à la maison.

— Moi, je veux bien essayer, a rétorqué Gem en prenant position, coude sur la table et poing levé.

La partie n'a pas duré bien longtemps: Gem a très vite abandonné.

— Tu prends ta revanche?

Gem a perdu la deuxième manche, mais elle a gagné la suivante. Sue s'était visiblement laissé battre. Est-ce que je pouvais lui demander, maintenant, si elle savait faire les nattes africaines, et si elle connaissait bien les garçons ?

— Et toi ? Tu veux tenter ta chance au bras de fer ?

— D'accord !

Je me suis installée en face de Sue. Ses doigts se sont resserrés si fort autour de mon poignet que j'ai eu l'impression d'être prise dans un étau.

Elle m'a laissée remporter une manche et elle a affirmé que je l'avais battue loyalement. C'était gentil de sa part, mais je savais bien que c'était faux.

— Non, c'est vraiment vous la plus forte.

J'étais prête à lui poser ma question quand elle s'est retournée vers Papa.

— À votre tour, maintenant !

Je voyais bien qu'il aurait volontiers passé son tour, mais il n'avait pas le choix, s'il ne voulait pas paraître grossier. À contre-cœur, Papa a posé son coude sur la table et levé le poing. Il s'apprêtait à saisir le poignet de Sue quand Dan, l'Homme aux Couteaux, a soudain fait irruption dans le café. Il a foncé sur notre table.

— Je te prends d'homme à homme, a-t-il

lancé à Papa. Ça t'évitera de frimer en t'attaquant à ma petite amie !

Il s'est glissé près de Rodéo Sue, déterminé à affronter son rival.

— Je ne suis pas ta petite amie, a corrigé Sue en fronçant les sourcils. Et d'abord, qu'est-ce que tu viens faire ici ?

Son visage était encore plus rouge que tout à l'heure.

Dan ne l'avait pas écoutée ; le front en avant, il défiait Papa du regard.

— Alors ? On se dégonfle ?

La main de l'Homme aux Couteaux était bien plus puissante, et aussi plus poilue que celle de Papa.

— Écoutez, monsieur, je ne vois pas l'intérêt de…

Mais Dan avait déjà saisi le poignet de Papa.

— Deux manches gagnantes, a-t-il décrété.

Papa s'est résigné.

Le duel s'est réglé en quelques secondes à peine. Papa n'a pas pu prendre le dessus, et Dan ne l'a pas laissé gagner une seule fois. À la fin de la partie, Papa s'est massé le poignet : il remuait les doigts pour les décrisper.

— Tu es une vraie brute, Dan, a confirmé Sue.

— Je voulais juste te protéger.

— Merci, mais ta protection, je m'en passe très bien ! Retourne donc plutôt t'occuper de ta nouvelle conquête, là, Tracey…

— Aujourd'hui, c'était son dernier numéro, a annoncé Dan en saisissant le menton de Sue pour la regarder dans les yeux. Tracey a quitté la maison. Écoute, Sue, je suis profondément désolé, je n'aurais jamais dû la laisser m'embrasser. C'est toi seule que je veux, et que j'ai toujours voulue.

— Oh…, a soupiré Sue.

Son visage était devenu écarlate, mais la joie se lisait dans ses yeux.

Gem m'a jeté un coup d'œil ; j'ai haussé les épaules, interdite. Dan avait pris Sue dans ses bras, et ils s'embrassaient maintenant passionnément.

Je ne voulais pas les gêner, mais j'ai quand même observé un peu comment ils faisaient. Qui sait, je pouvais avoir besoin d'un modèle, si j'avais la chance de sortir avec Léo à la boum du collège.

— Encore raté, a chuchoté Gem à mon intention.

— Ouais… Encore une sur le tapis !

On est repartis tous les trois sans dire au revoir. Quand nous avons franchi le seuil de la porte, je me suis retournée une dernière fois. Dan et Sue étaient encore enlacés.

J'étais un peu déçue : Rodéo Sue ne deviendrait pas notre nouvelle maman. Mais c'était peut-être mieux ainsi. Elle n'aurait sans doute jamais pu s'entendre avec un homme qui avait une peur panique des chevaux.

Il ne nous restait maintenant plus qu'une seule dame à rencontrer.

— S'il vous plaît, faites que ce soit Bibi ! ai-je murmuré en croisant les doigts.

Chapitre 7

Bibi nous a identifiés la première, de l'autre côté de la place du marché. Elle nous a fait de grands signes pour nous saluer puis elle a couru dans notre direction.

— Bonjour, vous tous ! Je suis si heureuse de vous rencontrer !

— Salut ! a-t-on répondu en chœur.

Bibi a pris Papa par le bras.

— On y va ?

— Eh bien... oui ! a-t-il renchéri, un peu surpris.

Ils avaient convenu qu'on déjeunerait tous ensemble à l'Huître Gourmande.

— Je crois que Bibi va bien me plaire, m'a confié Gem tout bas.

— Moi aussi. Aujourd'hui, on va peut-être

enfin attraper une nouvelle maman dans notre piège. Mais celle-là, il ne faudra pas la laisser filer…

— Dépêchez-vous, les filles! nous a pressées Papa en indiquant une table au fond du restaurant.

On s'est installés et on a commandé.

Papa a prévenu Bibi qu'il n'était pas pompier, mais ça n'a pas du tout eu l'air de la décevoir.

— Les comptables aussi, ça peut être très chou! a-t-elle susurré.

— Je ne savais pas qu'une femme pouvait être attirée par cette profession, je vous assure! On ne m'avait jamais dit ça!

Bibi a fixé Papa droit dans les yeux:

— Je ne faisais pas référence à tout le corps du métier, voyons…

Elle connaissait des blagues très drôles; certaines étaient particulièrement crues. Papa a même eu l'air un peu choqué.

Bibi semblait beaucoup l'apprécier. Elle s'était assise tout contre lui et, pendant tout le repas, elle a essayé de s'en rapprocher encore. Elle se penchait pour lui parler, mais chaque fois Papa se raidissait ou déplaçait discrètement sa chaise. Bibi ne s'est pas découragée pour autant. À la fin, Papa était carrément coincé contre le mur. Il ne pouvait que la laisser faire, s'il ne voulait pas être grossier en la repoussant franchement.

Je pensais que Papa serait content de rencontrer une personne comme Bibi, à qui il plaisait, manifestement. Mais lui n'avait pas l'air de s'en réjouir. Il restait sur sa réserve, et souriait à peine. Il n'a raconté aucune blague, alors qu'il en connaît des tonnes. Il n'a même pas ri à celles de Bibi ! De plus, il a mangé son repas à toute vitesse. Dès que son plat est arrivé, il l'a carrément englouti. Si l'une de nous deux l'avait imité, c'est sûr, il nous aurait passé un sacré savon ! Il nous répète tout le temps qu'il faut bien se tenir à table... Et là, il avalait d'énormes bouchées, comme pour terminer son assiette avant tout le monde.

— Voilà ! a-t-il soufflé après avoir fait disparaître la dernière cuillerée de son nougat glacé. Je vais demander l'addition, et puis on va y aller, les filles ! Allez Gem, accélère un peu le mouvement !

Elle avait commandé un gigantesque morceau de forêt-noire. Elle ne pouvait tout de même pas le gober !

Visiblement, Papa avait hâte de sortir du restaurant.

Peut-être avait-il envie de vomir ? Mais à qui la faute ? Il n'aurait jamais dû manger si vite !

J'ai aidé Gem à finir son gâteau.

Pourquoi Papa voulait-il se sauver comme ça ? Il n'avait pourtant pas l'air malade. Alors pourquoi était-il pressé de partir, puisqu'on s'amusait si bien avec Bibi ? Il n'avait rien d'urgent à faire cet après-midi !

— On pourrait peut-être se revoir ? a suggéré Bibi, quand Papa est revenu à notre table, après avoir réglé l'addition.

— Elle lui a de nouveau pris le bras, mais il s'est dégagé si rapidement qu'il a failli bousculer un serveur derrière lui.

— Excellente idée ! s'est exclamée Gem avec enthousiasme.

Je n'ai pas voulu prendre part à la conversation. J'aurais été très heureuse de revoir Bibi, moi, mais ce n'était pas la peine, si Papa n'en avait pas envie. S'il n'appréciait pas autant que nous la femme qui tombait dans notre attrape-maman, ça n'avait aucun sens. Pourquoi était-il si fuyant ? J'étais très déçue, et je lui en voulais un peu. On avait fini par trouver quelqu'un de bien, et il se comportait comme si Bibi avait une maladie contagieuse.

— Je vous rappellerai ! lui a-t-il promis quand nous sommes arrivés à sa voiture.

Je savais qu'il ne le pensait pas une seule seconde. Alors pourquoi mentait-il ?

— J'attendrai votre appel, a répondu Bibi de sa petite voix sucrée.

Elle s'est inclinée pour embrasser Papa, mais il s'est détourné, et son baiser a claqué dans le vide. Elle est montée dans son cabriolet rouge, et nous a fait un dernier signe de la main. Puis elle a démarré en trombe.

— Ouf ! Enfin débarrassés ! a lâché Papa quand Bibi a disparu au coin de la rue. Je n'ai jamais rencontré de femme aussi redoutable !

Gem n'était pas d'accord :

— N'exagère pas ! Elle était drôle !

Mais je savais qu'il était très sérieux.

— Façon de parler ! Ce n'est pas à toi qu'elle a fait du pied sous la table pendant tout le repas ! Elle ne pouvait pas me coller plus que ça, à moins de me monter sur les genoux !

— Tu vas quand même la rappeler ?

— Certainement pas !

— Mais Papa...

— Non, non et non ! a-t-il affirmé d'un ton péremptoire. Jamais de la vie !

Quand il parlait sur ce ton, il était impossible de le faire changer d'avis. J'ai poussé un gros soupir.

— Encore une qui va au panier !

— Qu'est-ce que tu dis ?

— Rien !

Nous sommes rentrés. Papa a pratiquement couru jusqu'à la maison, comme s'il ne rêvait que de refermer la porte derrière lui et de rester tranquille.

— J'ai eu ma dose ! nous a-t-il confié plus tard dans l'après-midi. Heureusement qu'il ne nous reste plus personne à rencontrer ! Affaire classée !

J'ai jeté un regard à Gem. Elle avait l'air aussi triste que moi. Elle a protesté :

— Alors on n'aura jamais de nouvelle maman ?

Papa a haussé les épaules.

— Je n'y peux rien, moi ! C'est comme ça !

Et il est sorti de la cuisine.

— À mon avis, a dit Gem, il n'apprécierait peut-être pas qu'on passe une nouvelle annonce...

— Non. Notre attrape-maman n'a servi à rien. Plus personne ne tombera dedans, maintenant !

— Alors, ces rendez-vous ? s'est enquise Kate le lundi suivant.

— Une catastrophe !

Je lui ai tout raconté.

— Je ne comprends pas pourquoi Papa n'a pas apprécié Bibi. Tu le sais, toi ? Il lui plaisait, c'est évident. En plus, elle nous a bien fait rire, ma sœur et moi. Alors, qu'est-ce qui s'est passé ?

— Bonjour, a crié Yves la Gencive quand nous avons longé son jardin. Rambo, couché sur le flanc, tranquillement, au beau milieu du gazon, avait l'air de savourer la douceur du soleil.

— Bonjour !

— À ton avis, qu'est-ce que ton père n'aimait pas chez cette femme ?

J'ai haussé les épaules.

— Je n'en sais rien ! Il n'a pas arrêté de râler parce qu'elle lui faisait du pied pendant le repas, par exemple.

Kate a ri.

— Elle m'a tout l'air d'une vraie mangeuse d'hommes !

— Peut-être…

J'ai regretté de ne pas avoir observé Bibi plus attentivement : je me suis toujours demandé à quoi ça ressemblait, une mangeuse d'hommes.

— Enfin… Ton père doit être soulagé que

tout cela soit terminé! Je l'ai croisé dans la rue l'autre jour, et il avait l'air exténué.

— Et toi, Kate, tu as un petit ami?

Elle a hoché la tête :

— Non, je suis libre comme l'air!

Je l'ai regardée dans les yeux. J'avais jusque-là des tonnes de questions à lui poser à propos de Léo, mais je venais d'avoir une illumination. L'idée du siècle!

Mon grand sourire a dû me trahir, car Kate a immédiatement réagi :

— Oh non! Tu crois que je ne te vois pas venir, toi, avec tes gros sabots?!

Puis elle a explosé de rire. J'aime bien son rire.

— Écoute, Anna : je n'ai pas de petit ami, et c'est très bien comme ça! Je suis bien mieux toute seule. Alors, ne va pas te fourrer des idées folles dans le crâne, au sujet de ton père et de moi!

— Moi? Et d'abord, quelles idées? ai-je soutenu de mon air le plus innocent.

— Tu sais parfaitement ce que je veux dire!

— Tu te trompes, ai-je prétendu, je ne vois pas du tout de quoi tu parles!

Mais elle n'a pas eu l'air convaincue.

— Tu le sais très bien! répétait-elle.

Je l'ai quittée pour me rendre au collège. Je me souriais à moi-même. Pourquoi n'avais-je pas pensé plus tôt à Kate comme candidate? Elle serait vraiment parfaite dans ce rôle. Il fallait seulement que Papa et elle puissent s'en rendre compte par eux-mêmes. Ce n'était pour moi qu'une affaire de temps.

Mais comment amener Kate à tomber dans notre attrape-maman? Comment l'obliger à entrer chez nous? Il fallait trouver le moyen de la forcer à passer du temps en notre compagnie.

Je pourrais essayer de l'inviter à dîner à la maison, un soir, mais ça ressemblerait vraiment à un guet-apens. Kate était bien trop subtile pour se laisser prendre à ce type de piège. Et puis, Papa ne serait sans doute pas d'accord non plus.

— Qu'est-ce qui pourrait paraître naturel, pour qu'elle ne se doute de rien? pensais-je sur le chemin.

Je n'en avais pas la moindre idée.

J'aurais dû demander à Kate si elle savait faire les nattes africaines. Parce que, côté garçons, j'étais sûre qu'elle pourrait me donner une foule de conseils.

Après les cours, je suis allée retrouver Gem pour lui faire part de mes projets. Au début, elle n'a pas été emballée.

— Je ne l'ai même pas rencontrée!

— Je suis sûre que tu vas l'adorer! Franchement, je ne vois pas qui pourrait ne pas l'aimer !

— Eh bien, Papa ! Il a dit qu'elle n'avait pas le sens de l'humour.

— C'est parce que Papa n'a pas pris le temps de savoir qui elle est au fond ! Et puis, elle a raison, il n'aurait pas dû se moquer d'elle de cette façon. Écoute, moi, je l'aime vraiment beaucoup. Fais-moi confiance : je te promets qu'elle va te plaire !

— C'est possible..., a admis Gem.

Mais elle ne paraissait pas enthousiasmée.

— Quoi qu'il en soit, ai-je ajouté pour achever de la convaincre, c'est notre dernière chance : si nous n'essayons pas de provoquer leur rencontre, nous risquons de ne plus attraper personne. Nous avons rejeté toutes les candidates de notre annonce. Et tu as dit toi-même que Papa refuserait catégoriquement de faire un autre essai. Réfléchis : tu veux une nouvelle maman, oui ou non ?

— Oui !

— Bon, alors ! Aide-moi à trouver un moyen de la retenir chez nous. Cette fois, il faut que le piège fonctionne !

— Pourquoi ne pas l'inviter, tout simplement ?

— Parce qu'elle va se douter qu'on mijote quelque chose ! Et puis, elle m'a juré qu'elle ne voulait pas de petit ami. En plus, Papa a dit qu'il ne voulait plus dîner avec des inconnues. Il ne nous laissera jamais l'inviter!

— Tu as raison.

— En fait, il ne faut pas que ça paraisse artificiel. Sinon, ils seront embarrassés, et il ne se passera jamais rien de romantique.

— Hmmm! Ça devient compliqué!

— Il faudrait trouver quelque chose de naturel, mais qui ne laisse quand même rien au hasard.

— Ce ne sera pas un peu sournois?

— Si! Évidemment, au début, ils ne vont pas tellement apprécier. Mais tu verras, si ça marche, à la fin c'est eux qui nous remercieront!

— Moi, a suggéré Gem, elle ne me connaît pas encore. Elle ne pourra donc pas me soupçonner!

— Voilà! Exactement! Tu pourrais être l'appât! Maintenant, il ne nous reste plus qu'à trouver le moyen de la piéger.

— Si au moins je savais à quoi elle ressemble!

Là, j'ai eu un éclair de génie: Kate m'avait dit qu'elle faisait du jogging chaque après-midi.

— J'ai trouvé! Si tu te places à la porte du parc, à quatre heures, après l'école, tu la verras sûrement : elle va courir là-bas tous les jours !

— Super ! J'essaierai de trouver un coin judicieux, pour l'observer en cachette.

Gem a réfléchi en silence pendant un moment, avant d'ajouter :

— Kate ne sera pas très contente, si elle se rend compte de ce qu'on mijote !

J'ai hoché la tête.

— Papa non plus ! C'est pour ça, il faut absolument se débrouiller pour qu'ils ne soupçonnent rien.

— La nuit porte conseil, n'est-ce pas ? On aura peut-être une idée, demain ?

— Hmmm...

Faire tomber Kate dans notre attrape-maman promettait bien des difficultés. Même *Girls* ne me serait d'aucun secours ; ce magazine ne s'était jamais penché sur ce genre de situation. J'avais pourtant cherché toute la journée quel piège pourrait bien fonctionner avec Kate. Deux profs m'avaient même demandé mon carnet pour écrire un mot à mon père, parce que je n'écoutais plus en classe. Et pas la moindre idée à la fin de la journée !

Chapitre 8

Lundi, j'ai commencé à paniquer : Léo n'était toujours pas revenu en classe et c'était vendredi prochain le jour de la boum. Est-ce qu'il serait guéri d'ici là ?

— Au fait, ai-je demandé à son meilleur copain, il va mieux, Léo ?

— S'ra de retour mercredi ou jeudi !

Ouf !

Dans mon cartable, j'avais toujours la carte que j'avais achetée pour Léo. Si je ne la lui donnais pas aujourd'hui ou demain, il reviendrait au collège sans savoir que je m'étais inquiétée pour lui.

J'ai décidé de prendre mon courage à deux mains et de lui porter ma carte après les cours. Normalement, s'il était tout à fait guéri, il serait en forme pour m'accompagner à la soirée de fin d'année.

Mais… est-ce que tout se passerait bien pour autant? Je n'avais pas trouvé tous les détails nécessaires dans *Girls* : comment faire, si Léo essayait de m'embrasser? Faut-il garder les yeux ouverts, ou bien les fermer? Et dans ce cas, faut-il les fermer tout de suite, ou bien au moment de pencher la tête? Et si par hasard les lèvres glissent, est-ce qu'on peut se retrouver à embrasser le menton, ou carrément le vide? La honte! Et puis, est-ce que ça gêne vraiment, un appareil dentaire? Peut-être Léo devrait-il enlever le sien juste avant de m'embrasser? Mais alors, il le mettrait où? Il ne le garderait quand même pas à la main en me tenant dans ses bras! Alors, dans sa poche? Mais il serait tout sale, il ne pourrait plus le remettre dans sa bouche après! Et si on voulait s'embrasser une nouvelle fois? Il faudrait chaque fois le retirer… Heureusement que je n'avais pas d'appareil moi-même! Ça compliquerait encore les choses!

J'ai pris la rue de l'Arquebuse.

— Hé, toi, la fayote de Saint-John! a crié quelqu'un dans mon dos.

Mon cœur s'est arrêté de battre, puis il s'est mis à cogner comme un fou dans ma poitrine.

Ça ne pouvait être qu'eux. Les garçons de Beechwood Academy. Un bail que je ne les avais pas croisés ! Comme une andouille, je m'étais crue tirée d'affaire.

Comment leur échapper ? Filer ? Ils devaient courir plus vite que moi, mais la peur pouvait me donner des ailes. J'arriverais peut-être à les semer.

Je me suis retournée. Il y avait bien les trois garçons qui m'avaient déjà menacée, accompagnés d'une quatrième personne : Olivia. Pouvais-je compter sur elle pour les dissuader de me faire du mal ?

Quel signe discret lui adresser pour la supplier de m'aider ?

Est-ce qu'elle leur dirait d'arrêter ? Je l'ai regardée droit dans les yeux. Elle a eu un rictus horrible, comme si elle voulait me cracher à la figure. Tiens, comme ça, elle était tout de suite beaucoup moins belle, la petite chérie à sa maman...

— Alors, t'as peur, hein ? a sifflé le fils d'Élaine.

J'ai haussé les épaules. Dire que ce garçon aurait pu devenir mon demi-frère, si Papa avait rencontré sa mère! L'horreur! Ma vie et celle de Gem auraient été un enfer.

— Eh bien, tu devrais!

L'expression d'Olivia n'avait pas changé. Elle affichait toujours le même mépris. Je mourais d'envie de lui rappeler ce qu'on dit aux enfants qui font la grimace: «Attention, s'il y a un courant d'air, tu vas rester coincée comme ça toute ta vie!» La frayeur me donnait des idées complètement folles. Par bonheur, je me suis tue.

Quelle aurait été ma vie avec Olivia comme demi-sœur? J'ai frémi. Sûrement aussi atroce qu'avec le fils d'Élaine. Finalement, je me réjouissais que notre attrape-maman n'ait pas fonctionné. Au fait, le fils d'Élaine savait-il que la mère d'Olivia avait rencontré mon père? Mieux valait peut-être ne pas mentionner ce sujet.

Maintenant, ils étaient trop proches de moi pour que je songe à courir. Je ne pourrais plus leur échapper. Que faire? Hurler «À l'aide!»? Mais qui m'entendrait?

— File-nous ton fric! a crié le fils d'Élaine.

— Montre un peu ce que tu caches dans ton sac!

J'étais terrorisée. Il ne fallait pas qu'ils me prennent mon cartable, ni qu'ils voient la carte pour Léo. Pourquoi n'y a-t-il jamais personne dans la rue, aux moments critiques?

Soudain, miracle! Quelqu'un est apparu! Ou plutôt quelque chose d'énorme: un chien gigantesque et menaçant s'est précipité sur moi, en aboyant comme un fou.

— Rambo! Ici, Rambo!

Olivia et ses copains ont paniqué en voyant Rambo s'approcher. L'un d'eux a donné l'ordre de lever le camp et ils sont partis en trombe.

Je me suis baissée et j'ai passé mes bras autour du cou de Rambo. Je pleurais presque tellement j'étais soulagée.

— Bon chien! Tu es arrivé pile au bon moment! Sans toi, j'étais bonne pour y passer!

Rambo m'a donné un coup de langue sur le nez.

Je me suis relevée et j'ai vu monsieur Yves devant son portail: c'est lui qui avait envoyé Rambo à mon secours.

— Allez! Viens, Rambo! Au pied!

Le chien est retourné tranquillement auprès de son maître.

— Merci, merci infiniment, monsieur Yves! Je ne sais pas ce qui se serait passé si vous n'étiez pas intervenu!

— De rien, mon petit! J'ai déjà vu ces

quatre-là tourner autour des enfants du quartier. Tu sais, tu devrais les dénoncer. Il ne faut pas leur laisser croire qu'ils ont tous les droits.

J'ai acquiescé. Je tremblais encore un peu. Demain, je raconterai au surveillant général ce qui venait de se produire. Je ne voulais pas que d'autres subissent la même chose que moi.

J'ai sonné chez Léo. Il a ouvert la porte quelques secondes plus tard. Il n'avait plus aucun bouton de varicelle sur le visage – à peine une petite cicatrice au-dessus du sourcil. C'était mignon.

Je lui ai timidement souri. Il avait l'air content de me voir.

— Tiens ! C'est pour toi ! ai-je dit en cherchant la carte dans mon cartable.

— Je reviens en cours demain.

— Super !

Il n'y avait plus grand-chose à ajouter. Alors je suis rentrée à la maison.

Papa avait l'air inquiet.

— Tu as croisé Gem ? Elle ne rentre jamais si tard d'habitude !

Il scrutait la rue, le visage collé à la fenêtre du jardin, comme s'il suffisait de se concentrer très fort pour la faire soudain apparaître.

— Le dîner est pratiquement prêt. Est-ce qu'elle t'a dit quelque chose? Elle n'avait pourtant pas prévu d'aller à un atelier de son école, ce soir?

J'ai secoué la tête. Si Gem avait annoncé qu'elle serait un peu en retard, Papa n'aurait pas oublié. Il veut toujours être informé de notre emploi du temps, pour savoir où et avec qui on est. Et surtout, à quelle heure on rentre à la maison.

— Elle est peut-être passée chez une copine...

C'était seulement une suggestion, mais je connaissais déjà la réponse de Papa.

— Non, non, elle aurait téléphoné pour me prévenir.

Son angoisse a commencé à me rendre nerveuse. Gem avait seulement une demi-heure de retard. Ce n'était pas encore une cata-strophe. Elle avait dû se rendre au parc, pour essayer de voir Kate. Mais elle aurait dû être rentrée, à cette heure-ci. Et s'il lui était arrivé quelque chose?

Quinze autres minutes se sont écoulées. Papa était dans tous ses états.

— Bon! J'appelle tous ses amis. L'un d'eux saura peut-être me renseigner.

La sonnette a retenti à l'instant même où

il décrochait le combiné. Il a raccroché et il est allé ouvrir. Je l'ai suivi comme un petit chien.

Kate se tenait sur le seuil de l'entrée. Elle n'avait pas son uniforme de factrice. Elle était habillée d'un pantalon de jogging orange et d'un large tee-shirt blanc. Elle avait un bandana vert pomme noué sur ses cheveux et toujours ses boucles d'oreilles porte-bonheur, en forme de tête de mort. Gem était agrippée dans son dos, les bras serrés autour du cou de Kate. Que s'était-il passé?

Kate avait l'air essoufflée; elle transpirait beaucoup. On aurait dit que Gem avait pleuré. Ses yeux étaient rouges et tout gonflés.

— La batterie de mon fauteuil est tombée à plat! a reniflé Gem. Je ne pouvais plus redémarrer! Oh là là, j'ai bien cru que je resterais coincée pour toujours dans cette maudite chaise roulante! Personne ne m'a proposé de m'aider, vous vous rendez compte? J'aurais pu passer la nuit là-bas! Heureusement que Kate est arrivée! Elle faisait du jogging dans le parc…

— Mais cette batterie est presque neuve! Tu avais bien pensé à la recharger hier soir?

— Pardon, euh…, a bredouillé Kate.

Gem a baissé les yeux. Une larme a roulé le long de sa joue.

— J'ai oublié... Je croyais que ça irait... sniff!... que ça pouvait durer plus longtemps que ça... mais je suis restée plantée comme une nouille en plein milieu du parc!

J'ai observé Kate. La pauvre! Porter Gem jusqu'à la maison devait l'avoir épuisée.

— Venez!

J'ai poussé Papa pour qu'il laisse passer Kate. Elle s'est dirigée vers le salon, et a délicatement posé Gem dans le canapé. Puis elle s'est effondrée à côté de ma sœur en poussant un profond soupir de soulagement.

— Où avez-vous laissé le fauteuil?

— À l'entrée du jardin public.

Papa semblait ne pas reconnaître notre factrice. Peut-être ne l'avait-il jamais vue sans son uniforme?

— Vous avez porté ma fille depuis là-bas?

Kate a secoué la tête.

— Oui, le fauteuil refusait d'avancer! Quand j'ai compris qu'il n'y avait pas d'autre moyen, j'ai proposé à Gem de la ramener chez vous de cette façon. Moi qui voulais courir pour garder la forme! Eh bien, porter quelqu'un sur son dos est un exercice autrement plus efficace, à mon avis...

— Personne ne m'a jamais portée sur une aussi longue distance ! Bravo ! s'est exclamée Gem en riant. Merci, du fond du cœur.

— Oui, oui, merci ! Je ne sais pas comment vous prouver ma reconnaissance, a renchéri Papa.

Puis il s'est souvenu du fauteuil électrique. Il était trop précieux – dans tous les sens du terme – pour être abandonné dans la rue. Pour le voler, bien sûr, il faudrait utiliser une grue : mais quelqu'un pouvait tout de même l'abîmer.

— Sers donc une tasse de thé à Kate, Anna ! Je reviens dans un instant.

Il est parti chercher les clefs de la camionnette, qui est spécialement conçue pour contenir le fauteuil de Gem. C'est un appareil très sophistiqué, mais si la batterie est à plat, il n'est plus qu'une grosse masse de métal encombrante. Les roues ne tournent pas sur elles-mêmes et l'ensemble est beaucoup plus lourd qu'un fauteuil roulant ordinaire. Autant essayer de pousser une voiture quand il y a le frein à main !

Quand Papa a franchi le seuil de la maison, je me suis tournée vers Kate.

— Tu veux boire un thé ? Ou autre chose ? Tout ce que tu veux ! Tu l'as bien mérité !

— Du champagne, alors ? Non, blague à part, je prendrais bien un grand verre de Coca glacé !

— Moi aussi !

— Pas de problème ! Coca pour tout le monde !

Je suis revenue quelques minutes plus tard en portant, sur un plateau, trois verres de soda et le plus gros paquet de biscuits apéritifs que j'avais pu trouver à la cuisine.

— Voilà de quoi récupérer toutes les calories que j'ai brûlées en faisant de l'exercice aujourd'hui ! a dit Kate en plongeant la main dans le sac de chips.

Papa est rentré peu de temps après.

— Tu as récupéré le fauteuil ?

— Oui ; apparemment, personne n'y a touché.

Il a souri à Kate.

— Encore une fois, je ne sais pas comment vous remercier d'avoir pris soin de ma fille !

— Pourquoi n'inviterais-tu pas Kate à dîner ? a suggéré Gem en me faisant un clin d'œil.

Non ! Quand même... La panne de batterie, la rencontre inopinée avec Kate... le sauvetage de Gem... Tout cela n'était rien d'autre que notre fameux piège à maman! Sacrée petite sœur!

— Accepteriez-vous de partager notre repas? a demandé Papa.

— Avec grand plaisir! De toute façon, je suis trop épuisée pour rentrer chez moi.

— Eh bien, ne bougez plus! Je m'occupe de tout! J'ai préparé des spaghetti à la bolognaise.

— J'adore ça! a répondu Kate en prenant une nouvelle poignée de chips.

— Kate?

— Oui?

C'était le moment ou jamais de lui poser ma grande question.

— Tu sais faire les nattes africaines?

— Les nattes africaines? Heu... Je n'ai jamais essayé, mais ça ne doit pas être bien sorcier!

J'ignorais si c'était effectivement une coiffure difficile à réaliser. Ce que je savais, par contre, c'est que j'avais complètement raté celle que j'avais tenté de me faire toute seule! Ça avait été un véritable désastre.

— Tu voudrais une natte africaine?

— Oui! Vendredi soir, c'est la boum de fin d'année au collège et j'aimerais bien en avoir une...

— On peut faire l'expérience, si tu veux.

— Oh oui! S'il te plaît!

— Madame est servie…, a chantonné Papa.

Personne n'a évoqué l'épisode avec Rambo ce soir-là. Pas même Kate. C'était en quelque sorte tabou.

Papa était d'excellente humeur; il rayonnait. Sa sauce bolognaise et ses croûtons à l'ail étaient encore plus savoureux que d'habitude.

— N'hésitez pas à passer prendre une tasse de thé à la maison, pendant vos tournées! a dit Papa en raccompagnant Kate sur le pas de la porte à la fin de la soirée.

Après son départ, Papa a commencé la vaisselle. Il sifflait dans la cuisine, aussi Gem et moi avons pu parler tout à notre aise.

— Tu n'as quand même pas tout inventé? ai-je demandé à Gem. La panne, et tout?

— Bien sûr que non! Je voulais seulement savoir à quoi elle ressemblait. Alors, je suis allée l'attendre au parc après l'école, comme convenu! Je l'ai repérée immédiatement, grâce à ses boucles d'oreilles que tu m'avais décrites. Je lui ai souri. Elle m'a répondu sans s'arrêter de courir. Après, j'étais pressée de rentrer à la maison pour te dire qu'elle serait parfaite comme nouvelle maman! Et c'est là que mon fauteuil n'a plus voulu démarrer. Plus de piles! Heureusement, Kate est repassée près de moi. Elle m'a vue pleurer... Tu sais, je l'aime vraiment bien!

— Moi aussi.

Papa, guilleret, chantait toujours dans la cuisine.

— On dirait que Papa l'apprécie, lui aussi!

On a éclaté de rire.

Chapitre 9

Kate m'attendait devant chez moi, quand je suis rentrée du collège, vendredi soir, avant la boum. Elle devait me faire une natte africaine. Le moment était venu de vérifier qu'elle était bien à la hauteur de ma toute première exigence !

— Bonjour, Kate ! Merci d'être venue !

— Ravie de pouvoir t'aider ! C'est important de se faire belle pour une soirée ! Tu veux que je fasse un essai avant que tu prennes ta douche ?

J'ai regardé l'heure. Encore trois heures et demie avant que Léo ne vienne me chercher. Kate pouvait bien s'exercer. Après tout, rien ne devait être laissé au hasard !

On est allées dans ma chambre et je me

suis assise à mon bureau. Kate a installé devant elle les ustensiles dont elle avait besoin : peigne, élastique et gel.

— Bon : il vaut mieux commencer par le sommet du crâne. C'est plus joli !

Elle s'est mise à me brosser les cheveux. Puis, tout en parlant, elle isolait entre ses doigts différentes mèches pour les tresser l'une après l'autre.

Elle semblait très à l'aise, comme si elle faisait ça depuis toujours. C'est alors que j'ai décidé de m'assurer qu'elle correspondait bien à mon second critère.

Pouvoir parler à quelqu'un comme Kate, c'était encore mieux que de lire *Girls*, parce que je pouvais lui soumettre mes problèmes exacts.

— Kate ?

— Oui ?

— Qu'est-ce que tu peux me dire sur les garçons ?

— Les garçons... Eh bien, ils sont très compliqués, et quand ils mûrissent, ils deviennent des hommes. Et là, c'est encore plus difficile de les comprendre !

Bon, ça, je le savais déjà. Il fallait préciser un peu plus ma question.

— Et... embrasser ?

— Hmmm... Les baisers! Euh...

— Quoi?

— Bien. Tout d'abord, ne mange jamais d'oignon avant d'embrasser un garçon, à moins qu'il n'en ait pris lui aussi. Pareil pour l'ail: à proscrire!

— D'accord. Et ensuite?

— Attends!

Kate a attaché un élastique au bas de ma tresse, puis s'est reculée pour admirer son œuvre.

— Hmmm... Les nattes africaines, c'est plus délicat à réaliser que ça n'en a l'air, finalement.

Je me suis observée dans le miroir. Au premier coup d'œil, la natte de Kate paraissait bien faite. De profil, c'était déjà moins brillant: une mèche refusait de tenir en place.

Je me suis retournée pour voir l'autre profil. De nouvelles boucles s'étaient échappées entre-temps. Un vrai champ de bataille, cette coiffure!

— Il faut serrer un peu plus, à mon avis.

Kate a enlevé l'élastique pour recommencer. Elle m'a de nouveau brossé les cheveux.

— Une fois, une de mes amies, Kelly, m'a raconté son premier baiser. Une horreur! Quand elle a embrassé son petit copain, il n'a rien trouvé de mieux que de s'évanouir ! Pas très encourageant, comme première expérience, non ?

— Tu m'étonnes !

Pourvu que Léo ne s'évanouisse pas !

— Voilà, maintenant, je crois que c'est bon.

J'ai jeté un coup d'œil dans le miroir. Kate avait bien serré mes cheveux cette fois-ci. Un peu trop, même !

— Alors ? Qu'en penses-tu ?

Je n'ai pas répondu. J'avais enfin une natte africaine, telle que j'en rêvais depuis des mois. Je croyais que ça ferait chic, comme Jenny Carter. Mais j'avais seulement l'air ridicule.

— Anna ?

Cette coiffure ne m'allait pas du tout. Elle me faisait une grosse tête.

J'ai retiré l'élastique.

— Merci d'avoir essayé, Kate, mais je crois que je préfère quand mes cheveux ne sont pas attachés.

— Tu as raison, surtout si tu te sens mieux comme ça. Crois-moi : innover, vouloir changer de tête avant une fête, ce n'est jamais une bonne idée ! Un conseil : reste toi-même, et tout se passera bien. Il faut que j'y aille, maintenant : je remplace quelqu'un au centre de tri, ce soir. Bonne chance !

— D'accord. Merci encore, Kate!

— Je t'en prie. N'hésite pas à me demander, si tu as de nouveau besoin de moi.

Kate est partie. J'ai consulté ma montre.
Léo serait là dans deux heures maintenant.
Il fallait que je me prépare.

— Anna?

Gem est entrée dans ma chambre.

— Quoi?

— Je te prête ça, si tu veux!

Elle m'a tendu son bracelet préféré.

— Oh, merci, c'est gentil!

— Hé? Tu sais quoi?

Elle a pris une toute petite voix:

— J'ai surpris Papa en train d'embrasser
Kate!

— Tu rigoles?

— Bon... C'était un tout petit baiser, mais
quand même!

Hourra! Ça, c'était une bonne nouvelle!
Mais ce n'était pas le moment d'en parler. Il
fallait vraiment que je me prépare. Je me suis
précipitée à la salle de bains.

Une heure plus tard, Papa est venu cogner
à la porte en grognant.

— Anna... Tu n'es pas la seule à avoir
besoin de la salle de bains!

— Ouais, ouais!

— Et puis... Est-ce que tu as vraiment besoin d'utiliser toute cette eau? Pense un peu à la facture!

Quelque fois, Papa a le chic pour être rabat-joie. Comme si je pouvais penser à la facture d'eau, un jour pareil!

À sept heures et demie pile, la sonnette a retenti.

— Tu peux ouvrir, Papa?

— Pourquoi moi?

J'ai poussé un profond soupir. Il ne comprenait vraiment rien!

— Parce qu'il faut que je finisse de me préparer!

— Mais, tu n'es toujours pas prête, depuis tout ce temps?

— Vas-y, s'il te plaît, Papa...

Je me suis précipitée dans ma chambre pour me regarder une nouvelle fois dans la glace. De face, de profil et de dos. J'avais lâché mes cheveux, comme d'habitude; aucun nouveau bouton n'avait fait son apparition, et je n'avais pas de morceau de salade coincé entre les dents.

— Léo est là! a crié Papa depuis le salon.

Je suis sortie de ma chambre. Léo était assis sur le bord du canapé, mal à son aise. Papa et Gem le regardaient fixement, comme deux chercheurs qui auraient fait une découverte révolutionnaire pour le monde de la science.

Léo a eu l'air soulagé de me voir arriver.

— On y va?

J'ai embrassé Papa.

— Salut, Gem!

— Amuse-toi bien!

— Ne rentre pas trop tard, a ajouté Papa.

J'étais ravie que Léo soit guéri et qu'il puisse m'accompagner à la boum.

— Je suis contente que tu sois rétabli!

— Moi aussi! Je n'ai jamais autant eu envie de me gratter de toute ma vie. C'était horrible!

L'intendant se tenait à la grille du collège, pour encaisser l'argent des entrées. Léo et moi avons payé chacun notre ticket, puis nous nous sommes dirigés vers la salle de sport. Sans les tapis ni les agrès, on n'avait plus l'impression d'être dans un collège: c'était beaucoup plus excitant comme ça!

La fête battait son plein: la musique était très forte, et des spots de couleur balayaient les murs du gymnase.

— On va danser? ai-je proposé à Léo.

Sa façon de danser était très drôle; il se balançait d'un pied sur l'autre, les bras raides, un peu comme un robot. Il n'avait pas l'air tellement plus à l'aise que tout à l'heure, dans le salon, quand Papa et Gem le regardaient.

— Hé, Léo! *Keep cool!* On est là pour s'amuser!

Il a hoché la tête. Il a esquissé un sourire, mais on aurait plutôt dit une grimace.

Le plus drôle, c'est qu'au bout de quelques morceaux il s'est tout à fait détendu, et là, je me suis demandé si je ne préférais pas, finalement, sa danse de robot.

Plus Léo prenait confiance en lui, plus sa danse devenait curieuse. À la fin, on aurait carrément dit que des fourmis lui grimpaient le long des jambes, ou qu'il marchait sur des charbons ardents. Il secouait aussi les bras dans tous les sens, comme si un nid de guêpes s'était abattu sur lui. Les gens le regardaient bizarrement, mais ça n'avait pas l'air de le gêner. Il bougeait tellement que la sueur ruisselait sur son front.

Je l'ai saisi par le bras.

— On va s'asseoir un moment?

On est restés côte à côte quelques minutes, puis Léo est parti aux toilettes. Je l'ai attendu un peu, puis je l'ai aperçu qui parlait avec le professeur d'informatique. Alors, je suis retournée près de mes copines et là, je me suis vraiment bien amusée. J'étais peut-être amoureuse de Léo, mais danser avec des filles, c'était quand même plus marrant.

Plus tard dans la soirée, le D-J a commencé à mettre des slows. Je me suis rassise.

— Je déteste les slows, a dit une de mes amies.

Léo s'est approché de moi. Il m'a pris la main. Je me suis levée.

Léo m'avait bien paru un peu bizarre pendant les premiers morceaux, mais pour rien au monde je n'aurais changé de partenaire pour les slows !

Ses bras de robot se sont refermés autour de moi, et là, le visage lové au creux de son cou, je me suis soudain sentie merveilleusement bien.

Mais, déjà, les lumières se sont rallumées, la musique s'est arrêtée. Il était l'heure de rentrer à la maison.

La soirée avait passé en un éclair.

Sur le chemin du retour, Léo a passé son bras autour de ma taille.

Plus loin, on s'est arrêtés pour s'embrasser. Bon, ce n'était pas le baiser le plus romantique du monde, parce que je n'ai pas penché la tête, et que son nez me gênait un peu.

Encore plus loin, Léo s'est pris les pieds sur un coin du trottoir, et il est tombé.

— Ça va ? Tu ne t'es pas fait mal, au moins ?

— Ça va… Regarde sur quoi j'ai failli trébucher !

Par terre, dans le caniveau, il y avait un vieux dentier. Je ne connaissais qu'une seule personne dans le quartier à qui ce dentier pouvait appartenir.

— Délire ! Les dents d'Yves la Gencive !

— Maintenant qu'on les a retrouvées, il faudra lui chercher un autre surnom…

— Faudra surtout une bonne dose de dentifrice ! T'as vu comme elles sont sales ?

On s'est dirigés vers la maison d'Yves la Gencive. J'ai sonné. Rambo s'est mis à aboyer comme un fou. Normal, à cette heure avancée, monsieur Yves ne devait pas recevoir beaucoup de visites, d'habitude. Il a entrouvert la porte.

— Qu'est-ce que c'est ? a-t-il demandé d'un ton suspicieux.

— Excusez-nous, monsieur Yves. C'est moi, Anna ! Et lui, c'est… euh… mon petit copain, Léo. Vous le connaissez sûrement déjà, il habite à deux pas d'ici ! On vous a apporté un petit cadeau.

— Un cadeau ? Pour moi ?

Léo lui a tendu son dentier.

— Mes fausses dents ! s'est exclamé monsieur Yves. Si je m'attendais à ça !

Il a ouvert plus grande la porte, et nous a laissés entrer.

— Où les avez-vous retrouvées ?

— Là, pas loin, dans la rue ! On est tombés dessus ! Au sens propre, d'ailleurs ! J'ai failli les écraser !

— Vous allez pouvoir croquer des pommes, maintenant !

— Oh, vous savez, je ne sais pas si je les mettrais bien souvent ! Rambo risquerait d'être jaloux... Ou alors, je les mettrais en cachette ! Enfin, merci bien, c'est très gentil à vous de me les avoir ramenées.

— Bonne nuit, monsieur Yves !

Léo m'a raccompagnée à la maison. Je lui ai raconté que Rambo m'avait tirée d'un mauvais pas, quand la bande de Beechwood avait essayé de me voler mon sac.

On était déjà devant la porte de chez moi. Léo s'est penché pour m'embrasser et, cette fois, j'ai pris garde de ne pas tourner la tête du même côté que lui. Nos lèvres se sont touchées sans problème, et, oh là là ! C'était magique ! Je me suis sentie toute drôle à l'intérieur... Une sensation pareille, ça ne pouvait être que le Grand Amour...

— Allez, salut, Anna! On se voit lundi au collège?

— Salut!

Je suis restée à le regarder partir en soupirant comme une andouille, et quelques secondes plus tard il s'est retourné vers moi.

— Euh... Ça te dirait, d'aller au ciné avec moi, demain?

— Oui!

Je devais avoir le sourire le plus niais du monde!

— Je passe te prendre à trois heures?

— D'accord!

— Bon, ben, salut!

— Salut...

J'ai ouvert la porte. Je n'avais qu'une envie: raconter ma soirée à quelqu'un!

Papa s'était endormi sur le canapé, devant la télé. Gem était couchée, je n'avais pas le cœur de la réveiller. Avec regret, je me suis dirigée vers la cuisine pour me chercher un grand verre d'eau. J'en avais bien besoin, pour me remettre de toutes ces émotions.

Et là, j'ai vu Kate, assise à la table de la cuisine.

— Salut, ai-je murmuré pour ne pas réveiller Papa. Je croyais que tu devais être au centre de tri!

Kate a secoué la tête. Elle souriait.

— Eh bien, tu vois, je suis revenue.

— Et qu'est-ce que tu fais là, maintenant?

— Je t'attendais, grosse bécasse!

Elle s'est levée et a pris un gros pot de glace au chocolat dans le congélateur. Elle a posé deux cuillères devant elle, sur la table. Puis elle s'est attaquée au pot de glace avec des yeux gourmands.

— Tiens! J'ai pensé que tu pourrais en avoir besoin, après ta soirée. Alors je l'ai acheté sur le chemin, pour toi. Allez! maintenant, raconte-moi tout!

J'ai souri et plongé ma cuillère dans le pot. Ce soir, j'étais la plus heureuse du monde: Léo m'avait embrassée, et grâce à notre attrape-maman, Kate était entrée dans nos vies.

Ruth Symes

 L'auteur est née en Angleterre où elle a fait ses études tout en voyageant beaucoup aux États-Unis, en Israël, en Australie et ailleurs. Elle partage son temps entre l'écriture de livres pour la jeunesse et le soutien scolaire à des enfants en difficulté. Elle a toujours aimé lire et cette envie d'écrire. Le monde de la mer la fascine. En 1997, elle publie son premier livre, *Le Maître des secrets*, pour lequel elle a reçu un prix.

Myriam Borel

Après avoir suivi des cours de littérature française en Angleterre avec des étudiants italiens, espagnols, allemands et japonais, Myriam Borel revient à Paris où elle découvre la littérature anglophone pour la jeunesse. Mais c'est à Dijon, sa ville natale, qu'elle trouve la quiétude nécessaire pour se consacrer à son activité, la traduction.

Claire le Grand

L'illustratrice de la couverture est née en 1963 en Bretagne, où elle a grandi. Plus à l'ouest, on tombe dans la mer et en regardant bien, on aperçoit peut-être l'Amérique. Quant au dessin, elle y est venue à la manière d'Obélix lorsqu'il tomba dans la marmite de potion magique : toute petite, par hasard… et depuis elle n'en est jamais sortie ! Aujourd'hui, Claire Legrand vit en montagne avec sa petite famille.

Castor Poche, des livres pour toutes les envies de lire: pour ceux qui aiment les histoires d'hier et d'aujourd'hui, ici, mais aussi dans d'autres pays, voici une sélection de romans.

832 Les insurgés de Sparte   Senior
par Christian de Montella

À Sparte, la loi impose de n'avoir que des enfants vigoureux. L'un des jumeaux de Parthénia est si frêle qu'elle le confie en secret à une esclave émancipée. Mais les deux frères vont se retrouver et s'affronter...

831 Les disparus de Rocheblanche   Junior
par Florence Reynaud

Au IXème siècle, les habitants de l'Aquitaine vivent dans la terreur des vikings, qui saccagent les villages et enlèvent les enfants... Eglantine et son petit frère sont ainsi vendus comme esclaves.

830 Chandra   Senior
par Mary Frances Hendry

À onze ans, Chandra est mariée, suivant la tradition indienne, à un jeune garçon qu'elle n'a jamais vu. Après leur rencontre, ce dernier meurt brutalement: Chandra est accusée de lui avoir porté malchance.

829 Un chant sous la terre   Junior
par Florence Reynaud

Isabelle a douze ans et doit travailler à la mine pour aider sa famille. Mais elle a un don, sa voix fait frémir d'émotion quiconque l'entend chanter. Une terrible explosion bloque Isabelle dans la mine, son don pourra-t-il alors la sauver ?

828 Léo Papillon   Junior
par Lukas Hartmann

Léo, huit ans, souffre de sa maladresse. Il aimerait être léger et beau comme un papillon. Son rêve consiste alors à s'enfermer dans un cocon de fils multicolores, en attendant la métamorphose...

827 **La chance de ma vie** Senior
par Richard Jennings

Quand on a douze ans, recueillir un lapin blessé semble bien naturel, voir banal. Pourtant, Orwell est plus qu'un animal... c'est une chance !

825 **Temmi au Royaume de Glace** Junior
par Stephen Elboz

Les soldats de la Reine du Froid ont enlevé Cush, un ourson volant qui vit dans la forêt près de chez Temmi. Temmi les suit au Château des Glaces, où toute chaleur est proscrite. Mais des insoumis organisent une rébellion.

824 **Les maîtres du jeu** Senior
par Roger Norman

Edward a douze ans. Il découvre chez son oncle un jeu de société qui renferme un mystérieux secret. Il se retrouve plongé dans un terrible engrenage, où le jeu et la réalité se rejoignent.

823 **Akavak et deux récits esquimaux** Senior
par James Houston

Akavak, Tikta'Liktak et Kungo l'archer blanc sont esquimaux. Dans l'univers rigoureux du grand Nord, ces héros doivent lutter pour survivre : découvrez leurs trois aventures au pays des icebergs...

821 **Ali Baba, cheval détective** Junior
par Gisela Kaütz

Pendant une représentation du cirque Tenner, quelqu'un a dépouillé les spectateurs de leurs portefeuilles. Sarah, la fille du directeur, découvre le butin caché dans le box de son cheval Ali Baba. L'enquête est ouverte...

820 L'étalon des mers   **Senior**
par Alain Surget

Leif et son père Erick, bannis de leur village de vikings, embarquent sur un drakkar avec Sleipnir, leur magnifique étalon. Leur voyage les conduit d'abord au Groenland, où ils font la connaissance des Inuits.

819 Mon cheval, ma liberté   **Junior**
par Métantropo

Aux Etats-Unis en 1861, la guerre de Sécession fait rage. Amidou, jeune esclave noir, s'occupe des chevaux d'une plantation. Lui seul peut approcher Stormy, le fougueux étalon, ce qui déclenche la jalousie du fils aîné.

818 Une jument dans la guerre   **Senior**
par Daniel Vaxelaire

Pierre, fils de paysan dans la France napoléonienne, rêve de devenir un héros. Il part rejoindre les troupes de l'Empereur qui se battent en Italie. Le chemin n'est pas sans danger mais le destin met sur sa route une jument qu'il adopte et baptise... Fraternité.

817 Pianissimo, Violette!   **Senior**
par Ella Balaert

Violette a dix ans et vient de déménager. Elle se fait bien à sa nouvelle vie. Le seul problème, c'est son professeur de piano : "Le Hibou" lui mène la vie dure et pourtant Violette s'applique !

816 Pas de panique!   **Senior**
par David Hill

Rob adore les randonnées en haute montagne. Il est loin d'imaginer qu'il va falloir assurer pour six ! Car le guide de son groupe meurt brutalement... facile de dire "pas de panique" dans ces conditions.

815 **Plongeon de haut vol**   Senior
par Michael Cadnum

Bonnie pratique le plongeon de compétition. Un jour, elle se cogne la tête contre le plongeoir et depuis n'arrive plus à plonger. En plus, son père est accusé d'escroquerie…

814 **Et tag!**   Senior
par Freddy Woets

Vincent a une passion : peindre, dessiner et surtout taguer. Mais le jour où Alma se moque de son dernier tag en le traitant de ringard, Vincent est profondément vexé…

810 **Une rivale pour Louisa**   Junior
par Adèle Geras

Louisa déteste la nouvelle du cours de danse : elle est trop douée! Un chorégraphe vient recruter de jeunes danseurs : et s'il ne choisissait que Bernice? Heureusement, la chance et l'amitié triompheront de leur rivalité.

809 **Louisa près des étoiles**   Junior
par Adèle Geras

Louisa rêve d'assister à une représentation de Coppélia, mais les billets sont chers, et de toute façon, il ne reste aucune place ! Heureusement, la chance lui sourit : Louisa va même pouvoir rencontrer les danseurs étoiles!

808 **Le secret de Louisa**   Junior
par Adèle Geras

Tony, le nouveau voisin de Louisa, est doué pour la danse, mais il est persuadé que seules les mauviettes font des entrechats. Pour cultiver ce talent caché, la petite « graine de ballerine » a une idée en tête…

Roman

807 Les premiers chaussons de Louisa Junior
par Adèle Geras

Louisa en rêvait depuis des mois : à huit ans, elle enfile enfin ses premiers chaussons de danse! En attendant de faire une grande carrière, il faut travailler sans relâche pour le gala de fin d'année. Louisa deviendra-t-elle une vraie « graine de ballerine » ?

805 Ménès premier pharaon d'Egypte Senior
par Alain Surget

Héritier du trône, Ménès doit braver mille dangers pour prouver qu'il est digne du titre de premier pharaon d'Egypte. Saura-t-il affronter ses ennemis, et devenir le Maître des Deux Terres ?

804 Jalouses! Senior
par Christian de Montella

Comment Simon aurait-il pu deviner que sa copine de bac à sable était devenue une véritable top-model ? Comment aurait-il pu éviter la crise de jalousie de Véronique, sa petite amie ?

803 Baisse pas les bras papa! Junior
par Christine Féret-Fleury

Depuis que Papa est au chômage, les fous rires, c'est terminé ! Au menu : soupe à la grimace. Il n'y a plus qu'une solution : l'aider à retrouver du travail.

802 De S@cha à M@cha Senior
par Rachel Hausfater-Douieb et Yaël Hassan

Sacha envoie des emails, comme des bouteilles à la mer, à des adresses imaginaires. Jusqu'au jour où Macha lui répond. Une véritable @mitié va naître de leurs échanges.

801 **Rendez-vous dans l'impasse**　　　Senior
par Kochka

« Une histoire d'amour dont vous êtes le héros » : c'est le sujet de la prochaine rédaction de Marie. Partie à la recherche de l'inspiration, Marie débouche dans une impasse, où elle aperçoit un garçon qui s'enfuit en la voyant…

800 **La main du diable**　　　Senior
par John Morressy

Béran veut être jongleur itinérant. Mais sur les routes du Moyen-Age, le diable rôde aussi : un jour, il lui propose de devenir le plus grand jongleur du monde… en échange de son âme !

799 **La révolte des Camisards**　　　Junior
par Bertrand Solet

1685 : révocation de l'Edit de Nantes. Près d'Alès, Vincent, jeune drapier et rebelle protestant, est aimé de la belle Isabeau. Trahi par un ami jaloux, il s'engage aux côtés des « Camisards » pour défendre sa religion.

798 **Louison et monsieur Molière**　　　Senior
par Marie-Christine Helgerson

Louison a dix ans quand Molière la choisit pour jouer dans sa dernière pièce. Et pas n'importe où ! À la Comédie Française, devant la cour du Roi Soleil…

797 **Les gants disparus**　　　Senior
par Marie-Claude Huc

Millau, capitale du gant, fin 1918. Irène, quatorze ans, jeune ouvrière douée de la ganterie Palliès, est fière de son travail… Mais un vol vient semer le trouble dans la petite ville…

795 Je veux MON chien!   Junior
par Colby Rodowsky

Ellie n'est pas contente, ce n'est pas un chien comme ça qu'elle
voulait ! Depuis le temps qu'elle demandait à ses parents un petit
chiot… elle se retrouve avec une espèce de vieux chien sans charme
qui appartenait à sa grand-tante !

794 L'arche des Noé   Junior
par Wendy Orr

M. et Mme Noé possèdent le plus grand et le plus merveilleux des
magasins d'animaux. Ils l'ont appelé « l'arche des Noé ». Leur
bonheur serait complet… si seulement ils avaient des enfants ! Or,
le jour de ses sept ans, Sophie vient visiter leur magasin… Entre
la petite fille et les Noé c'est le début d'une grande amitié.

793 Le dernier loup   Senior
par Roland Smith

Tawupu, le grand-père de Jack, est retourné sur la terre de ses
ancêtres, dans le désert de l'Arizona. Jack part l'y retrouver. Là-
bas, l'inquiétude monte : un loup rôde dans la région. Jack saura-
t-il protéger l'animal alors qu'on organise sa mise à mort ?

792 Quatre poules maboules   Junior
par Robert Landa

Pour ne pas servir de dîner au fermier, Hugoline, Bruneheau,
Rosette et la petite Prunelle, les quatre poules de la basse-cour,
décident de s'enfuir. Elles se retrouvent au beau milieu d'une fête
foraine : un tour de grande roue, un petit verre à la buvette, et nos
quatre poules tournent maboules !

781 **La princesse qui détestait les princes charmants** Junior
par Paul Thiès

Il était une fois une princesse qui s'appelait Clémentine, et qui ne voulait pas épouser de prince charmant. Elle détestait carrément les princes charmants! Elle n'avait qu'un rêve, transformer tous les garçons en grenouilles, sauf son ami Cabriole...

780 **L'araignée magique** Junior
par Nette Hilton

Jenny adore aller passer des vacances chez Violette-Anne, son arrière-grand-mère. Cette année, Jenny y découvre une invitée surprise: Pam, l'araignée à sept pattes. Cette araignée n'est pas ordinaire, et sa présence rappelle bien des souvenirs à Violette-Anne...

779 **La fée Zoé** Junior
par Linda Leopold Strauss

Qui a dit que les fées avaient des ailes et une baguette magique? Lorsque Zoé entre dans la vie de Caroline, elle a l'air d'une petite fille tout à fait ordinaire... et pourtant! Tout le monde ne peut pas voler et faire parler les chats!

778 **L'île du vampire** Junior
par Willis Hall

Rejeté à cause de ses ancêtres Dracula, les seuls amis du comte Alucard sont les loups de la forêt. Quand l'un d'eux est capturé, le comte improvise un sauvetage... qui se transforme en naufrage sur une île déserte!

Roman

767 **Le quai des secrets**   **Senior**
par Brigitte Coppin

Bretagne, 1529. Un navire espagnol fait escale à Nantes et y laisse
une femme, Leonora, et son fils, Jason. Leonora rencontre Jean,
médecin, et ensemble ils ont une fille, Catherine. Un jour, Jason
dérobe un miroir pour l'offrir à une jeune villageoise. Ce vol va
entraîner la révélation de bien des secrets...

766 **Le diable dans l'île**   **Senior**
par Christian de Montella

1604. Un navire espagnol accoste une île des Terres australes. Fils
du commandant, Diego comprend la barbarie de cette conquête,
et se joint au combat, mais du côté des indigènes. Commence alors
une vie nouvelle, heureuse. Mais bientôt des incidents troublent
le quotidien de l'île : les habitant sont persuadés que l'esprit du
mal est parmi eux. Qui est donc le diable qui hante l'île ?

765 **Sans toit en Bosnie**   **Senior**
par Els de Groen

Dans les ruines d'un village bosniaque, la guerre rôde. Seule
Antonia y habite. Son but : survivre, afin d'aider trois adolescents,
réfugiés dans la montagne proche. Un jour elle recueille Aida, res-
capée d'un convoi de prisonniers. La vie est-elle encore possible
pour tous ces adolescents ?

764 **Le conquérant**   **Senior**
par Marguerite de Angeli

XVIIIe siècle : entre guerres et maladies, le malheur frappe de
nombreuses familles en Angleterre. Robin n'a que dix ans lorsqu'il perd l'usage de ses jambes. Il parviendra à vivre avec son
handicap, mais un autre défi l'attend : sauver le château.

759 **Monsieur Labulle super magicien** **Junior**
par Massimo Indrio

En pleine nuit, M. Labulle est réveillé par un bruit. Il découvre dans la cuisine une petite fille: Stella arrive de l'espace, elle est magicienne. Elle lui demande de l'accompagner dans une mission... explosive !

758 **Monsieur Labulle super cosmonaute** **Junior**
par Massimo Indrio

Lulu Tirebouchon est le meilleur ami de M. Labulle. Cet inventeur de génie vient de créer une fusée. M. Labulle accepte de tester l'engin : dans quelle drôle d'aventure s'est-il encore embarqué?

757 **Monsieur Labulle super détective** **Junior**
par Massimo Indrio

M. Labulle adore lire les aventures de Super Super. Quand il apprend l'enlèvement de l'oncle Rémi, il décide de prouver à son tour son courage. Attention! Monsieur Labulle mène l'enquête...

756 **Monsieur Labulle super pilote** **Junior**
par Massimo Indrio

M. Labulle, dans la vie il faut travailler! Oui, mais quel métier exercer? Pâtissier ou peintre en bâtiment? Pilote d'essai semble une meilleure idée... quelle course!

749 **Khan, cheval des steppes** **Senior**
par Federica de Cesco

Anga, jeune Mongole, sauve d'une meute de loups un magnifique poulain blanc. Anga et Khan deviennent inséparables. Mais le cheval est convoité par le chef de la tribu, puis réclamé par un prince: dans la Mongolie du XIIe siècle, Anga, fille de chasseur, pourra-t-elle garder son nouvel ami près d'elle?

748 Beau-Sire, cheval royal   Senior
par Jacqueline Mirande

1214. Jean, jeune noble de quinze ans, est privé de ses richesses par son cousin. Il veut demander justice au souverain, Jean sans Terre, et s'enfuit avec Beau-Sire, son cheval. Mais ce magnifique étalon est très convoité: la route est semée d'obstacles et Jean, tombé aux mains d'un brigand, n'aura la liberté… qu'en échange de sa monture.

747 Un cheval pour totem   Senior
par Alain Surget

Nuun a dix ans, l'âge auquel on devient adulte dans sa tribu. Il doit pour cela subir un rite d'initiation et choisir un animal-totem: ce sera le cheval. Quelques jours plus tard, il trouve un poulain, et l'adopte. Nuun le baptise Charbon, et ils deviennent inséparables. Mais le sorcier de la tribu est jaloux, et se fait menaçant…

746 Le cavalier du Nil   Senior
par Alain Surget

Bitiou, fils de paysans dans l'Égypte des pharaons, est fasciné par les chevaux. Un jour, il se joint aux troupes de Ramsès II, qui regagnent Memphis. Arrivé au palais, Bitiou se faufile jusqu'aux écuries royales. C'est alors qu'il fait la connaissance du plus beau cheval de Pharaon: ensemble, ils vont vivre des aventures extraordinaires.

745 Punch et Judy   Senior
par Avi

Les États-Unis, à la fin du XIXe siècle. Punch a huit ans à peine lorsqu'il est recueilli par la troupe ambulante des Joe MacSneed. Il apprend dès lors à vivre comme un vrai saltimbanque, aux côtés de Judy, la fille de Joe, dont il est amoureux. Mais bientôt, les difficultés s'accumulent…

744 **Les naufragés du ciel**   **Senior**
par Daniel Vaxelaire

Octobre 1929, aéroport du Bourget : l'avion Farman 192 AJJB s'envole. À son bord, trois héros avec ce rêve fou, ce pari insensé : rallier la Réunion par les airs. Arriveront-ils à bon port ? Farman résistera-t-il aux tempêtes du continent africain ? La mer épargnera-t-elle les aventuriers ?

743 **Viola Violon**   **Senior**
par Rachel Hausfater-Douieb

Viola a onze ans et déteste son prénom. Jusqu'au jour où Benny la surnomme «Viola Violon» : alors, pour que son prénom soit aussi beau que la musique d'un violon, Viola décide d'apprendre à jouer de cet instrument. Au fil des années, Viola va trouver son identité et s'accepter telle qu'elle est, grâce à la musique.

742 **Un héros pas comme les autres**   **Junior**
par Anne-Marie Desplat-Duc

Mathias, un jeune paysan, vit au XVe siècle. Amoureux de la châtelaine Aelis, il n'ose pas lui avouer ses sentiments. Il finit par demander de l'aide à un personnage tout à fait inattendu… l'auteur !

737 **L'été catastrophe !**   **Senior**
par Margot Bosonnet

Depuis que Marcus a rejoint la bande du Ventre Rouge, les grandes vacances ne sont plus qu'une gigantesque bataille ! Grimper aux arbres à mains nues, voler des groseilles, passer la nuit dans une ruine abandonnée (et hantée !)… ces cinq lascars ont plus d'une idée en tête pour faire enrager voisins, parents… et même policiers !

736 Tante Morbélia et les crânes hurleurs Senior
par Joan Carris

Horreur ! Tante Morbélia vient s'installer chez Todd, et avec elle toutes ses légendes de crânes hurleurs et d'affreux fantômes ! En plus, c'est une ancienne maîtresse, qui veut lui faire réciter ses leçons chaque jour. Dire que pour Todd, retenir les douze mois de l'année est déjà tellement compliqué… Et puis surtout, surtout, il déteste les histoires qui font peur !

735 Ah ! Si j'étais grand… Junior
par Siobhan Parkinson

Ça n'est vraiment pas drôle d'avoir mille cent ans, d'être lutin et petit pour la vie ! Lorenz en a assez, assez, assez ! Mais voilà qu'il fait la connaissance d'Iris, qui elle, voudrait bien être moins ronde et rétrécir un peu. Que vont inventer les nouveaux amis pour changer de vie ?

734 Un prince en baskets Senior
par Liliane Korb et Laurence Lefèvre

Quelle surprise ! Solveig et Nils, descendus fouiller la cave pour s'occuper, y découvrent une jolie jeune fille assoupie… depuis deux cents ans ! N'y aurait-il pas un petit peu de sorcellerie là-dedans ? Et que faire d'une aristocrate qui a échappé à la Révolution, quand on a quatorze ans et qu'on porte des baskets ?

732 L.O.L.A Senior
par Claire Mazard

Qui adresse du courrier à Lola sans le signer ? Pour la jeune fille, ces lettres anonymes sont d'abord agaçantes, puis touchantes, et surtout intriguantes. Accompagnée de son petit frère Jérôme, Lola va mener une enquête… alors que la réponse est tout près d'eux, sous leurs yeux.

731 **Ninon-Silence**   **Senior**
par Marie-Claude Bérot

Une nuit, Ninon est réveillée par des sanglots dans la chambre de ses parents. Elle entend cette phrase terrible : « Ninon n'est pas ta fille ! ». L'enfant a l'impression que le monde s'écroule autour d'elle. Le lendemain, Ninon a perdu la parole.

730 **Le Maître des Deux Terres**   **Senior**
par Alain Surget

Antaref, roi de Haute-Égypte, a été assassiné. Son fils doit lui succéder. Mais le temps presse, car déjà la Basse-Égypte a déclaré la guerre. Ménès saura-t-il défendre son pays, venger son père et libérer son amie Thouyi, avant de devenir le premier pharaon ?

721 **Prends garde aux dragons !**   **Junior**
par Norbert Landa

Le roi et la reine partis en Italie, le petit prince Léo est seul au château. Il tombe sur un œuf de dragon. Que faire ? Le conserver ou le cuisiner ? Mais est-ce que c'est bon, une omelette de dragon ?

720 **À vos marques !**   **Senior**
par Michel Amelin

C'est reparti ! Dès le début de l'automne, la mère de Gontran est obsédée par le port de l'écharpe obligatoire ! Quelle horreur, surtout quand la dite écharpe a déjà été usée par des générations, depuis le frère aîné de l'arrière-grand-père de Gontran... Il aimerait tellement frimer avec des vêtements de marque, comme tant de ses copains !

Roman

718 **La vengeance du vampire** Junior
par Willis Hall

Dur, dur d'être vampire de nos jours, surtout vampire végétarien !
Rejeté pour les crimes de ses aïeux Dracula, le gentil Alucard voudrait tant qu'on l'aime ! Va-t-il trouver en Amérique le coin tranquille de ses rêves, où vivre en paix entouré d'amis ? Ce serait
compter sans un ambitieux producteur de films d'horreur, un
shérif du Kansas et un étrange homard géant...

717 **Nabab le héros** Junior
par Adèle Geras

Nabab est un chat que rien n'arrête. Or voici que la jungle d'à-côté
redevient jardin civilisé. Et la nouvelle voisine ne veut pas de chat
sur ses terres ! Nabab reculera-t-il devant un balai ?

716 **Popeline a disparu** Junior
par Adèle Geras

Popeline a été abandonnée toute jeune et a tant besoin d'être
aimée ! Le jour où « sa » famille s'agrandit d'un nouveau-né, elle
fait de son mieux pour l'accueillir à sa façon. Mais ses initiatives
sont comprises tout de travers ! Popeline décide de fuguer...

715 **Signé : Fouji** Junior
par Adèle Geras

Fouji est le doyen des chats du square Édouard. Il ferait n'importe
quoi pour « sa petite humaine » – sauf poser pour un portrait, sans
bouger pendant un temps fou ! Pour échapper à la corvée, Fouji
est prêt à tout... les résultats seront surprenants !

714 **La revanche de Mimosa** **Junior**
par Adèle Geras

Toute ronde et d'un âge respectable, Mimosa est une chatte heureuse… jusqu'au jour où « sa » famille reçoit pour les vacances une petite humaine, une véritable peste de six ans. La vie de Mimosa devient un enfer ! Il faut chasser la visiteuse !

713 **Jaguars** **Senior**
par Roland Smith

À peine de retour du Kenya, le père de Jake se lance dans un nouveau projet. Cette fois, il s'agit de créer une réserve de jaguars en Amazonie. Jake rejoint l'expédition pour les vacances. Mais la semaine a tôt fait de se transformer en une véritable épopée, et Jake en pilote virtuose d'U.L.M !

712 **L'élan bleu** **Junior**
par Daniel Pinkwater

Monsieur Breton se sent bien seul, dans son restaurant du bout du monde… Mais lorsqu'il rencontre l'élan bleu, tout va mieux! Les clients se bousculent, sa soupe aux chipirons fait un carton, et, surtout, il a de vrais amis. Jusqu'au jour où l'élan bleu décide d'écrire un livre.

711 **La Bande Sans Nom** **Senior**
par Guido Petter

Été 1944. Dans un petit village italien, des gamins rêvent d'aventures et de combats, et créent la Bande Sans Nom. Ils engagent bientôt les hostilités avec les Têtes de fer, tandis qu'au loin résonnent les coups de feu d'une autre guerre, bien réelle. Dans les montagnes, les partisans défendent la zone libre contre les milices fascistes.

Cet
ouvrage,
le huit cent
quarante-sixième
de la collection
CASTOR POCHE,
a été achevé d'imprimer
sur les presses de l'imprimerie
Maury Eurolivres
Manchecourt - France
en octobre 2001

Dépôt légal : novembre 2001.
N° d'édition : 4814. Imprimé en France.
ISBN : 2-08-16-4814-8
ISSN : 0763-4544
Loi n° 49-956 du 16 juillet 1949
sur les publications destinées à la jeunesse